# LA MORT EST
# MA MAISON

**De la même auteure**

« Friture louisianaise », dans *Comme chiens et chats* (dir.), Stanké, 2016.

*L'Encre mauve,* Druide, 2015.

« Dernier chapitre au Bookpalace », dans *Crimes à la librairie*, Druide, 2014.

« Asphalte », dans *Pourquoi cours-tu comme ça ?*, Stanké, 2014.

*À l'autre bout de la laisse. Guide pratique* (en collaboration avec Jacques Galipeau), Druide, 2013.

*Rivages hostiles,* Pierre Tisseyre, 2013.

*Répliques mortelles,* Michel Brûlé, 2012.

*Se réinventer. Visages de la vitalité humaine,* Québec Amérique, 2010.

*Montréal à l'encre de tes lieux* (photographies de Luc Lavigne), Québec Amérique, 2008.

FLORENCE

# MENEY

# LA MORT EST MA MAISON

Nouvelles

Une société de Québecor Média

**Catalogage avant publication de Bibliothèque et Archives nationales du Québec et Bibliothèque et Archives Canada**

**Meney, Florence, 1964-**

La mort est ma maison
ISBN 978-2-7648-1194-8
I. Titre.

PS8626.E548M67 2017 C843'.6 C2016-942165-1
PS9626.E548M67 2017

Édition : Marie-Eve Gélinas
Révision et correction : Céline Bouchard et Isabelle Lalonde
Couverture : Chantal Boyer
Mise en pages : Jacqueline Agopian
Photo de l'auteure : Michel Paquet

Cet ouvrage est une œuvre de fiction ; toute ressemblance avec des personnes ou des faits réels n'est que pure coïncidence.

**Remerciements**
Nous remercions le Conseil des Arts du Canada et la Société de développement des entreprises culturelles du Québec (SODEC) du soutien accordé à notre programme de publication.

Gouvernement du Québec – Programme de crédit d'impôt pour l'édition de livres – gestion SODEC.

Les Éditions Libre Expression
Groupe Librex inc.
Une société de Québecor Média
La Tourelle
1055, boul. René-Lévesque Est
Bureau 300
Montréal (Québec) H2L 4S5
Tél. : 514 849-5259
Téléc. : 514 849-1388
www.edlibreexpression.com

Dépôt légal – Bibliothèque et Archives nationales du Québec et Bibliothèque et Archives Canada, 2017

ISBN : 978-2-7648-1194-8

**Distribution au Canada**
Messageries ADP inc.
2315, rue de la Province
Longueuil (Québec) J4G 1G4
Tél. : 450 640-1234
Sans frais : 1 800 771-3022
www.messageries-adp.com

**Diffusion hors Canada**
Interforum
Immeuble Paryseine
3, allée de la Seine
F-94854 Ivry-sur-Seine Cedex
Tél. : 33 (0)1 49 59 10 10
www.interforum.fr

*À Frank*

# I

# Le dernier amant

Insondable.

Le brun noisette des yeux en amande longés de cils immenses qui, loin de démentir sa virilité, la soulignent au contraire, est un lac sans fond comme elle en a croisé dans l'Oural, ou peut-être aux confluents de la Chine intérieure; un abysse qui avale la lumière et ne renvoie rien. Elle le scrute, penchée en avant, assise au bord du lit, ses cheveux épars tombant sur son visage en un voile pudique. Dans ce regard dont elle attend tout en cet instant, désespérément, elle cherche, cherche encore, mais se heurte à un mystère. La pupille ronde face à elle ne lui restitue aucun reflet, pas même celui de ses propres traits, fragmentés ou déformés, comme un miroir qui refuserait de faire son travail et garderait jalousement ses secrets. Elle s'ébroue, rejetant sa masse de boucles brunes en arrière, guettant du coin de l'œil la réaction de l'autre, mais celui-ci ne frémit pas. Jadis, ce simple mouvement vif avait été charmant pour la plupart des hommes et suffisait à les mettre en action. Elle se demande si aujourd'hui il n'est plus que ridicule. À quel moment l'érosion de la jeunesse a-t-elle achevé son œuvre, ne lui laissant aucune arme sur le champ de bataille ?

Elle jette un dernier regard à ces yeux sombres. Si lointains, si étrangers, déjà, avant l'amour… Qu'en sera-t-il après ?

*Peut-être est-ce mieux ainsi*, songe-t-elle en se redressant, mettant entre elle et lui un pied de distance qui ne dissipe pas le parfum fort et doux qui monte du corps musclé. En réponse instinctive à son mouvement, en mâle en attente de sa femelle, il se redresse, cligne des yeux dans la pénombre de la chambre, lui lance un sourire hésitant qui le rajeunit et la fait frissonner. Sans doute aujourd'hui vaut-il mieux qu'elle se heurte à la cruelle indifférence. La tendresse, improbable, risquerait de la faire vaciller. Elle croit entendre sa mère, cette chipie, que le diable ait son âme, lui répétant comme lorsqu'elle était jeune fille en peine d'amour perpétuelle : « Tant qu'il ne te dit pas, comme dans la chanson de Dalida, "c'était pas si mal"… alors tu n'as pas à t'inquiéter. »

— Je prends une douche rapide, OK ?

Elle s'adresse à lui en anglais, la seule langue qu'ils partagent. Et c'est beaucoup dire. Dans son cas à lui, la maîtrise en est approximative, mais il hoche la tête pour signifier son assentiment et se laisse aller en arrière sur le lit comme un grand félin paresseux.

Elle a perdu la notion du temps, mais le mugissement de la rue qui s'est fait plus fort et la nuit dense qui bouche la petite fenêtre aussi sûrement qu'un mur lui indiquent que la soirée est avancée. Les artères commerçantes autour doivent être bondées, les terrasses piquées d'une multitude de convives en mal d'oubli et de légèreté. Un instant, elle souhaite être avec eux dehors, à humer librement le parfum complexe du Bosphore, plutôt que dans cet espace confiné avec comme seul horizon des étreintes décevantes, prélude à la solitude et au néant. Dehors, il y a la vie. L'espoir. Les touristes se font plus rares, mais les locaux, eux, sont captifs de la ville et ils veulent exister un peu. Elle chasse l'envie de fuir vers l'extérieur. Après tout, c'est elle qui a enclenché la marche rituelle. Elle n'oserait pas reculer. Son amour-propre n'est pas tout à fait mort.

Elle pénètre dans le placard qui ose prétendre servir de salle de bain, referme soigneusement la porte.

La lumière blafarde de l'ampoule nue agresse ses yeux battus par le décalage horaire. Elle a de plus en plus de mal à récupérer de ces incursions dans l'enfer de sociétés dont elle ne fera connaître par ses reportages que la face sombre et dont elle ne pourra raconter que la souffrance. Car elle n'a jamais été rien d'autre qu'une émissaire de malheur dans ses missions d'envoyée spéciale pour une station de radio montréalaise. Depuis longtemps, le fardeau est devenu lourd, même si aux yeux des autres elle continue d'afficher la passion, le feu sacré. *Il est plus que temps que cela s'arrête,* se dit-elle. Et cette fois, contrairement aux mille précédentes, elle y croit vraiment.

Était-ce seulement l'avant-veille qu'elle atterrissait dans la petite aérogare d'urgence qui, pour acheminer les dignitaires, journalistes et autres VIP, avait péniblement pris le relais du grand aéroport Attaturk éventré par l'attentat ? Il lui semble qu'elle foule ce sol meurtri depuis un siècle. Elle y était venue, deux décennies plus tôt, avec David, lors de trop brèves vacances où ils avaient cru pouvoir de nouveau se comprendre. Cette fois, c'est une ville traumatisée qu'elle retrouve. Ou plutôt plus traumatisée qu'à l'ordinaire, car la grandeur de ce pays et de sa ville lovée sur le Bosphore est trempée dans l'histoire violente et tragique, écrin sanglant à sa richesse éternelle. Elle cligne plusieurs fois des yeux, essayant d'évoquer les premières images enregistrées par son cerveau fourbu à son arrivée, le chaos qui l'a accueillie dans la chaleur du midi, les répliques de la panique encore palpables dans le périmètre sécurisé. Et tout ce remous, les policiers aux sourcils crispés, les visages fermés, les trous de balles. Et puis ces traces de sang séché qu'elle a si bien su décrire dans son direct de 17 heures et qui lui ont valu les félicitations de son chef de pupitre : « Il n'y a pas à dire, Sophie, tu es toujours la meilleure ! Tu as tellement le sens de l'image, on s'y croirait ! Les jeunes, à la salle, n'ont pas ce talent. Qu'est-ce qu'on ferait sans toi ? » « Vous y arriverez très bien », murmure-t-elle. Pour raffermir sa résolution, elle ouvre sa trousse de toilette de toile grise perchée sur la minuscule tablette et jette un coup d'œil à la fiole qui dort innocemment. Avant de partir, à Montréal, elle en a broyé le contenu, l'a réduit en poudre. Sa police d'assurance. Ce soir, elle l'encaissera.

Le robinet qu'elle ouvre d'un coup sec proteste sous sa main. Elle se passe un peu d'eau tiède à l'odeur de métal sur le visage, essayant de ne pas s'attarder sur le contour fané de sa bouche. Essayant de ne pas penser à cet homme qui se retrouve avec elle, ici, dans sa chambre d'hôtel d'Istanbul, sans qu'elle sache réellement pourquoi, ni si elle le désire vraiment. Mais n'était-ce pas le cas pour tous les autres, du moins ceux des dernières années ?

Celui-ci se prénomme Altan, ce qui, lui a-t-il appris fièrement en préliminaire à la séduction, signifie « aube rouge ». Il le prononce avec douceur, dans cette langue gouleyante dont sa compréhension à elle ne parvient pas à dépasser deux ou trois mots.

Quel peut être l'âge de cet homme ? *La jeune quarantaine tout au plus*, songe-t-elle, et c'est comme si un couteau lui fouillait le cœur. Longtemps elle ne s'est tournée que vers les hommes plus vieux, ces figures dont elle pouvait se dire qu'elles avaient quelque chose d'éphémèrement paternelles et réparatrices. Mais il lui semble que ces hommes qui font halte dans son lit reculent sans cesse en âge. Cette différence n'a aucune importance, lui disent-ils dans ces premières heures d'apprivoisement, mais elle sait bien qu'ils mentent. De plus en plus. Celui-ci lui a été présenté par le chef de la police d'Istanbul sur les lieux du massacre. Trois kamikazes qui se font éclater en pleine aérogare au milieu des voyageurs, cela ne fait pas que tuer des gens, cela laisse des traces profondes à tous ceux qui survivent.

« Docteur Altan Sendurk, psychologue. Il va nous aider pour le stress post-traumatique. » Une entrevue rapide, un clip de dix secondes qui n'apprendra rien aux auditeurs. Mais immédiatement le vieux mécanisme de la séduction qui se met en route, presque sans y penser.

Tout de suite elle s'est donc arrimée, abîmée, dans ces grands yeux noisette qui ce soir refusent de lui parler. A-t-il même réellement envie d'elle ou se prête-t-il au jeu par courtoisie, ou par curiosité ? Pour pouvoir raconter à ses amis hilares, autour d'un verre, qu'il s'est tapé une journaliste canadienne, pas de première fraîcheur, « mais encore drôlement bien roulée » ? En se glissant sous le jet à peine tiède de la douche, elle se secoue. *Je suis injuste envers ce type, il ne m'a rien fait que je n'aie demandé,* se dit-elle. Pas plus que les autres, dans l'ensemble respectueux, amicaux et honnêtes dans leur absolue distance. Ne dérogeant pas du contrat. Une rencontre, un *goodbye*. Peu de paroles, surtout quand comme maintenant la langue vous sépare. À vingt ans, elle vivait sereinement ces adieux, les désirait même, confiante en la moisson abondante des lendemains. À présent, elle a parfois la tentation de s'accrocher, de faire durer une relation sans avenir… futile. Comme le lui avait dit

David à l'époque en bouclant sa valise et en franchissant la porte pour la dernière fois, elle avait toujours été volage. Toute jeune, elle s'abreuvait à la source du désir que lui renvoyaient ces hommes et comblait ses vides d'intrigues éphémères. À vingt ans, à trente, et même dans la quarantaine, elle surfait en conquérante au fil de ses expéditions journalistiques, au gré de ces rencontres qui ponctuaient ses voyages. Elle n'avait alors qu'à claquer des doigts, presque littéralement, pour que son énergie, son statut de grand reporter et sa beauté les mettent à ses pieds. Puis, progressivement, elle avait senti qu'il lui fallait travailler plus fort. Elle ne lisait plus dans leurs yeux l'admiration brûlante, mais plutôt une forme de respect, comme si en elle ils désiraient surtout la femme qu'elle avait été. *Le ridicule peut tuer*, se dit-elle, *j'en suis la preuve vivante. Plus pour longtemps.*

Tout de même, le psychologue l'attend sur son lit, à côté. Alors, dans la touffeur du cabinet de toilette, elle s'active pour décoller de son corps la moiteur et la poussière de cette journée sans fin. Elle prend le temps quand même de savourer le contact rude de la serviette rêche d'avoir été trop lavée, et dont la texture évoque les bains que lui donnait sa grand-mère, le parfum virginal de la lavande en moins.

Elle l'entend qui bruisse, sur la couche encore défroissée qu'ils vont massacrer ensemble. À moins qu'ils ne se contentent d'étreintes polies, lisses. Peut-être aura-t-il peur de la fatiguer, de la casser… Elle doit se dépêcher si elle ne veut pas qu'il se lasse, qu'il ait un doute et renonce. L'ultime insulte. Elle ne serait pas capable de le supporter. *Pas pour cette dernière fois,* songe-t-elle en manipulant comme pour se rassurer la fiole avant de la replacer soigneusement dans la trousse.

Tandis qu'elle le rejoint dans la pièce principale, elle songe au médecin qui lui a procuré les précieux médicaments. Une autre de ses conquêtes, un peu plus durable celle-là. Un gérontologue rencontré dans le cadre d'une enquête sur l'aide médicale à mourir, à Montréal. Elle revoit l'air inquiet sur les traits élégants du spécialiste quand il avait finalement accédé à ses demandes incessantes, formulées sur l'oreiller.

« Tu vas en faire quoi ? Tu sais que je pourrais me faire radier si ça se savait ? On ne plaisante pas avec ces substances-là. Très dangereux. C'est pour un proche ? Si oui, je peux t'aider directement… » Elle avait balayé ses angoisses d'un baiser chaste. C'était la dernière fois qu'elle avait vu le gérontologue.

Avait-il deviné qu'elle ne pourrait accepter de composer avec la suite, de continuer tranquillement comme tous les autres moutons de la race humaine sur la pente du renoncement, de faire le deuil un jour de la vigueur, un autre de la beauté, et bientôt sans doute de toute intensité professionnelle ? Car les premiers reculs sont invariablement le prélude à d'autres, surtout dans son métier. Au mieux, vous devenez invisible, un fantôme affecté à la composition des biographies, les fameuses « viandes froides », comme on les appelle irrévérencieusement. Reléguée dans un coin oublié de la salle de rédaction, loin des jeunes journalistes multiplateformes qui vous croisent sans vous voir et ne garderont rien de vous, pas même un nom. « Ah oui, elle ? Elle était correspondante au Moyen-Orient, au milieu des années 2000, non ? Brune, petite ? Peut-être que je confonds… » Au pire, un patron piteux vous montre un jour la sortie. Cette sortie, elle préférait l'effectuer à sa manière, avec le choix des armes…

Elle avait depuis longtemps regardé les choses en face : elle était seule, son père avait mis les voiles avant même qu'elle eût pu en avoir conscience, et sa mère avait eu la bonne grâce de débarrasser le plancher de son inutile existence. Par décision assumée, elle était sans enfants. Sans famille. « Heureusement ! lui avait jeté David à la tête lors de leur dernière altercation, un monstre d'égoïsme ne peut pas songer à s'occuper d'un être vulnérable.» Elle ne manquerait à personne. Le moment venu, elle fraierait avec son ami le minibar qui aiderait à faire passer le reste.

En s'approchant de l'Aube rouge, une tristesse monte en elle avec une violence qui lui fait peur. Il se tient debout, à présent, campé sur ses longues jambes, à moitié nu. La beauté de l'homme, même étrangère et distante, fouette son goût de vivre. C'est un piège, elle le sait. Il est vrai qu'elle n'avait pas imaginé que sa route s'arrêterait ici, dans cette auberge turque sans âme. Elle a soudain un regain d'énergie, des envies de flâner dans le tumulte du Grand Bazar, de se vautrer dans l'orgie olfactive des étals d'épices et de tremper son iris ravi dans les dédales de textures surimposées des tissus chatoyants. Malgré elle, elle désire voir encore le soleil s'écraser sur les bateaux dans le port et les chiens sans maître rôder, la queue basse, en quête de nourriture ou d'une caresse.

L'ordre de partir en couverture sur les lieux de l'attentat l'a prise par surprise, mais n'est-ce pas toujours le cas dans ce boulot ? En replongeant les yeux dans les lacs profonds d'Altan, qui tend ses bras forts vers elle, elle se dit : *Au fond, quelle importance si tout s'arrête ici ?* Ses errances d'envoyée spéciale l'ont privée de réelles racines. Non pas qu'elle eût voulu en cultiver. Elle aurait préféré pour la tombée du rideau le cadre épuré de son appartement du Plateau Mont-Royal, son corps inerte au milieu de ses draps de soie crème y aurait fait un tableau romantique, lui semble-t-il, mais au diable ! Elle ricane.

— *Ready for me, Altan ?*

L'homme la regarde, surpris par son ton d'amazone. Rares sont les femmes dans ce pays qui pratiquent des mœurs aussi libres et qui exigent aussi crûment du sexe. Une lueur d'excitation s'allume au fond du lac infini.

— *Yes, ready. You come here now, beautifuuuuul.*

Elle grimace. Derrière le compliment facile, le lubrifiant minimal pour emballer la fille, ce type ne peut cacher un socle de dureté, il tient à garder le contrôle. Macho jusqu'au bout des ongles. Dur, dur, pour elle qui a plutôt eu l'habitude de dominer au travail comme en amour, mais elle jouera le jeu. Tout de même, elle aurait souhaité pour cette ultime affaire quelque chose de plus enveloppant, de moins rustique. Comme ce Touareg sentimental qui ne la lâchait plus ou ce fermier rwandais poète. Les alexandrins composés pour elle par un homme, un autre temps révolu. Elle doit se contenter d'un compliment de pacotille. *Tu n'as plus le luxe de faire la difficile, ma vieille, tu n'avais qu'à apprendre à en garder au moins un…*

Elle tente de forcer son corps à se faire docile et laisse sa chair pâle se faire avaler par la peau brune, intimant à son cerveau l'ordre de lâcher prise une dernière fois. Au loin, un chant mélancolique, presque funèbre, s'élève dans la nuit. Une endeuillée de l'attentat qui gémit sa peine ? Elle laisse à l'humanité sa douleur, se concentrant sur le plaisir, lui qui a été son maître absolu durant toutes ces années de multiples échéances journalistiques.

Quand elle se redresse, il se tient debout et lui tourne le dos. Dans son échine légèrement tendue, elle lit déjà le signal du départ. Il enfile sur sa poitrine la chemise de faux lin immaculée qu'il avait soigneusement déposée sur l'unique chaise, jette un œil par-dessus son épaule, ouvrant la bouche comme un poisson fraîchement pêché. Elle connaît le syndrome. Il cherche ses mots, se demande quoi lui dire. La sonnerie rythmée de son portable vient à son secours. Sans même un geste d'excuse, il se détourne et répond. Après tout, les Occidentales libertines qui couchent avec des inconnus doivent s'attendre à entendre leurs hommes parler à leur légitime en aparté, au saut du lit.

De la salle de bain où elle s'est réfugiée, elle perçoit ses bredouillements incompréhensibles, embarrassés. La déception ordinaire a été au rendez-vous, ni plus, ni moins. Pas de surprise pour ce dernier acte, son dernier acte. Elle tire la fiole de son sarcophage de toile, la décapsule et contemple la poudre aux teintes pastel qui évoquent la couleur des langes d'un tout jeune enfant, ou encore les cieux solitaires de son Saguenay natal. Bon sang, elle ne va pas devenir sentimentale, pas maintenant. Frissonnante, elle enfile la légère robe de chambre qui pend au crochet de la porte. Rester nue devant lui semble soudain insoutenable.

Quand elle émerge de nouveau dans la chambre, il a mis fin à sa conversation et affiche un air ennuyé de petit garçon coupable. *C'est terminé, déjà*, songe-t-elle en tirant deux flacons de vodka du minibar. Une vie de travail, une vie d'aventures, une vie d'amour, résumée à ce minois repentant.

— *I have to go, sorry.*

Il a la voix enrouée d'un chien bâtard.

— *I know.*

Elle tente de garder un ton léger, lui tourne le dos. Elle remplit les deux verres de plastique diaphane de vodka. La poudre s'étale dans celui de droite en un tourbillon lâche que les glaçons rendent quasi imperceptible. La drogue est inodore et ne laisse qu'une très légère amertume sur la langue, lui a-t-on affirmé. L'affaire sera rapide, et sans douleur.

— *A last glass before you leave ?*

Il la contemple, hésitant entre désir de partir au plus vite et obligation de courtoisie. Puis il hoche la tête : « *Quick, then. It was not so bad, after all, was it ?* » lui lance-t-il avec un sourire mutin, presque complice, tendant la main pour saisir un verre.

Un long frisson glacial la traverse. Elle tremble sous l'insulte. Jamais tel jugement sans appel n'est tombé des lèvres d'un homme. Elle revoit sa mère, narquoise. « C'était pas si mal… » Lui n'a rien perçu de son trouble, de la rage qui monte à présent en elle et fait s'entrechoquer les glaçons dans les verres.

Qui est-il, cette ordure, pour ainsi la noter, la recaler ? Elle respire fort, et par la fenêtre l'odeur prégnante, vivante, du Bosphore lui parvient. Elle perçoit tout ce monde en dehors, meurtri, violent, mais infini qui l'appelle, bien plus que le néant incertain de la mort qui flotte dans son verre. Alors elle sourit à l'Aube rouge et, lui tendant le verre dans sa main droite, lui souffle :

— *You're right, it wasn't so bad after all.*

# II

# La mort est ma maison

Journal d'Huguette

*Nous sommes là tous les trois, à nous regarder en chiens de faïence. Quelque chose va céder, je le sens. Quelque chose de terrible va se produire. Et il n'y a rien que l'on puisse faire. Qui appeler ? À qui raconter ? Il n'y a plus personne, que nous. Personne ne peut nous sauver, nous sommes seuls depuis si longtemps dans cette grande maison. Que Dieu nous prenne en pitié !*

Les naseaux sensibles de mon cheval oscillaient au ras des fleurs de blé en plein essor, au rythme de sa foulée ample, ramassant au passage des éclats de pollen doré qui se collaient à sa lèvre et brillaient au soleil. Sa course souleva une grive qui s'égaya d'un vol lourd, maladroit. Je me penchai sur l'encolure luisante de sueur, frottant ma bouche à l'écume du col.

— Va, Satan, va !

Satan redoubla d'ardeur malgré la chaleur de ce juillet bourguignon qui chassait les hommes et les bêtes dans la pénombre du couvert.

Je me hâtai. Soudain, j'avais le sentiment qu'il y avait urgence. C'était un instinct que j'avais dû affiner dans mon métier, à moins qu'inversement ce soit lui qui m'ait guidée vers la profession de policière.

La ferme n'était plus qu'à un kilomètre à travers les prés qui ceignaient le ruisseau de leur mosaïque cuivrée. Franchir à cheval la distance qui isolait la ferme dans son écrin de forêt était plus rapide que d'emprunter la route à lacets, c'est pourquoi je n'avais pas pris la peine de déposer ma monture quand était entré sur mon cellulaire l'appel de mon ami, le Dr Sabourin, médecin du village.

— Écoute, Florence, la pâtissière me dit qu'on n'a pas vu nos vieux depuis six jours.

— Six jours, rien d'étonnant, ces trois-là vivent en ermites depuis des décennies. S'ils pouvaient n'avoir aucun contact avec la société, ils le feraient…

Sabourin m'avait coupée :

— Oui, mais ils n'ont pas non plus ouvert au livreur, hier. Du coup, on a essayé d'appeler, à répétition, mais personne ne décroche. C'est pas normal. Ils sont quand même très âgés. Quatre-vingt-quatre, quatre-vingt-cinq ans… Tout peut arriver à cet âge-là. La maison est si isolée…

— Tu as raison. Et avec le vieux qui perd la boule… avais-je enchaîné, alertée.

Les vieux, « nos vieux », comme on les appelait au village, c'était un peu nos mascottes exécrables, les derniers d'une époque, des êtres confits dans le passé et la bizarrerie de leur existence quasi autarcique. Un trio perpétuel, en marge de la société. Et pas commodes avec ça…

Combien de fois les services sociaux avaient-ils tenté de déloger les trois vieux, de les amener à quitter ce domicile isolé où ils avaient passé leur vie entière, pour rallier la ville et accepter d'aller s'éteindre dans un mouroir moderne climatisé ? En vain.

Plus récemment, on disait au village que la sénilité avait commencé à s'emparer de l'homme. Mais comme depuis que les activités de la ferme avaient cessé les femmes assuraient l'essentiel de la bonne marche de la maisonnée, cela ne paraissait pas trop. Du moins de l'extérieur. Mais qui savait vraiment ? Qui s'en souciait ? Ils étaient bien seuls avec leurs problèmes…

— Je suis en balade à cheval dans la Forêt de velours, avais-je répondu à Sabourin. À un jet de pierre pour ainsi dire. Je vais aller faire un tour. Sûrement me faire enguirlander copieusement pour les avoir dérangés, avais-je ajouté en riant.

Mais en arrêtant mon cheval dans la cour herbeuse de la vieille ferme, je savais déjà que ma légèreté avait été mal placée. La demeure principale, massive, affichait son air sévère habituel, drapée dans son long toit de petites tuiles qui descendait jusqu'au sol comme un rideau, semblant l'emmurer dans son secret. Le silence qui régnait me parut surnaturel, moi qui ne succombais en général guère aux peurs et aux superstitions. Je laissai mon cheval aller libre dans le pré hirsute, les rênes longues. Aucun chant d'oiseau ne troublait l'air dense et torride. Je jetai un coup d'œil rapide en direction de l'étable. La bâtisse carrée de pierres de taille, à quarante mètres de la maison d'habitation, avait jadis accueilli plus d'une vingtaine de charolaises, au temps de la gloire de cette exploitation agricole dont les champs s'étaient étendus au loin, au moins jusqu'à la prochaine commune. Un mugissement angoissé, solitaire, monta. Marguerite, l'unique vache restante que les vieux s'étaient obstinés à garder, appelait.

Elle allait devoir attendre. Pour autant que j'aimais les animaux, c'était le sort des humains à l'intérieur qui requérait mon attention urgente. Je longeai le potager. Quatre chats consanguins à différents stades de la sénescence paressaient entre les plants de tomate négligés. Non loin, à quelques pas de la porte d'entrée, un champ de petites croix, toutes noires à l'exception d'une blanche, attestait des générations de leurs ancêtres félins qui avaient vécu à la ferme et y étaient morts, suffisamment aimés pour avoir droit, chacun, à une minuscule sépulture.

Je dépassai le jardin. La rangée de rosiers tendait ses bras décharnés, en deuil de soins. Elle avait eu fière allure jadis, à l'époque de mon enfance, quand j'y menais de longues parties de cache-cache avec mes camarades. Combien de semaines, de mois de renoncement humain fallait-il avant que la nature reprenne ses droits ? Un jour prochain, la ferme serait vendue. *Un jour très prochain,* me dis-je en frissonnant. Car la maison avait cet air mort qui présage les plus grandes catastrophes.

Je fis le tour de la demeure des maîtres et tentai d'ouvrir la lourde porte, qui m'opposa une résistance têtue.

Concrètement, pénétrer dans la maison posait un problème. La porte arrière était tout aussi bouclée que l'entrée principale. À l'étage, les lourds volets de bois donnaient à la façade l'air fermé d'une vieille mégère. Seule la lucarne de la salle d'eau du rez-de-chaussée laissait entrer la lumière. Tout en me résolvant à en fracasser la vitre, je me dis qu'il fallait à ces trois vieux beaucoup de courage, ou une perte de contact avec la réalité, pour résister et rester là.

Ma botte de cavalière eut raison sans mal de la lucarne. Je pénétrai dans ce qui était, je le sus tout de suite, un tombeau.

L'odeur qui m'accueillit hurlait au cadavre, même si les épais murs de pierre de la maison avaient conservé assez de fraîcheur à l'intérieur pour limiter les dégâts. Un chapelet de mouches jouait la danse macabre dans un rai de lumière. Je passai du cabinet de toilette avec ses murs piqués d'humidité au long corridor qui menait à la salle à manger d'imposantes dimensions. En chemin, je captai le détail d'une photo accrochée au mur. C'étaient les vieux, en de plus jeunes années, dans leur quarantaine, peut-être. À une époque où ils vivaient moins reclus, de ce que je pouvais savoir de leur passé, mais où ils étaient déjà solitaires.

À l'avant-scène du cliché fané, les deux sœurs affichaient un demi-sourire austère. Huguette, la cadette, fixait l'objectif. Elle se tenait devant le torse solide d'Alfred, son fermier d'époux. Avant de se replier sur cette existence d'ermite, Huguette, me souvins-je, avait été institutrice au village. Et avait flirté avec la beauté. Ses traits vigoureux et fins à la fois portaient la marque d'une certaine sophistication rehaussée par le hâle des travaux des champs. Ce n'était par contre pas le cas de la femme à côté d'elle sur la photo, la troisième larronne, Violette. La plus vieille des deux sœurs n'avait à ma connaissance jamais exercé de métier. Elle avait aussi été, et de loin, la moins gâtée par la nature, avec son lourd visage et ses yeux sans expression. Elle était peut-être la moins digne de son joli prénom. Je me détournai du cadre. Ils étaient là, quelque part, trente ans plus tard... Je me hâtai. Quelque chose leur était arrivé.

Je trouvai Alfred affaissé dans son fauteuil de cuir égratigné, dans un coin de la salle à manger. Sa gorge s'ouvrait en un sourire sanglant visiblement sculpté à vif par un objet muni d'une lame. Le vieux puait le cadavre de trois jours ou plus. De grosses mouches avides aux reflets émeraude étaient déjà en passe de coloniser son corps décharné, ce naufragé qui n'avait rien gardé de la robuste charpente du travailleur de force qu'il avait été.

En contournant le fauteuil et son macabre occupant, je faillis trébucher sur un grand couteau de cuisine tout maculé de rouge, dont l'œil métallique luisait faiblement dans la pénombre de la pièce aux tentures tirées. Où étaient les femmes ? Frissonnante, j'abandonnai le maître des lieux et entrepris de visiter chacune des autres pièces de la ferme. La cuisine était impeccablement rangée, comme si elle attendait de la visite. Sur le bord de l'évier de faïence ébréchée, une tasse à thé solitaire avait été mise à sécher, la tête en bas. Une caisse de melons trop mûrs qui ne seraient jamais consommés projetait des senteurs sucrées qui rivalisaient désagréablement dans l'air avec les relents de la mort.

Le rez-de-chaussée était désert. En fait, pour trouver la suite de l'histoire, je n'avais qu'à me laisser guider par l'odeur et le bourdonnement des mouches. Je gravis les larges marches de chêne de l'escalier pour rallier l'étage. Huguette, la plus jeune des sœurs, gisait sur son lit haut sur pattes, dans la chambre principale. Un examen rapide me révéla que, contrairement à Alfred, elle ne portait aucune marque flagrante de violence. Son visage de petite vieille était totalement détendu, elle était presque belle et comme mise en scène, offrant le spectacle de quelque reine mère gisant pour la postérité et les vivants dans la mort. Sa chemise de nuit blanche faisait une longue tache claire sur le couvre-lit de ratine pourpre. Seule ombre au tableau : là encore, les insectes avaient fait leur nid dans les orifices visibles du corps. La puanteur était un peu moins forte que près du corps d'Alfred.

Restait Violette, l'aînée, me semblait-il. À quatre-vingts ou quatre-vingt-cinq ans, la différence d'âge de quelques années pouvait être importante, pourtant c'était la seule qu'on voyait encore se déplacer au village. Elle surgissait de temps à autre comme un danger public sur la place principale, au volant de son antique Megane. Violette, qui était restée célibataire toute sa jeunesse et n'avait jamais quitté la ferme, poursuivant cette existence que j'imaginais monochrome auprès de sa sœur et de son beau-frère après le décès des parents. Mi-complice, mi-boniche, sans doute.

Je vis qu'une fin brutale, atroce, avait conclu l'existence sans histoire de Violette. Qu'avait-elle fait pour mériter cela ? Sa carcasse massive gisait dans une mare de sang sur le sol de sa propre chambre, une pièce de plus petite taille que la chambre principale. Elle était étalée sur le plancher de lattes, ses yeux grands ouverts contemplant le plafond avec effroi. Un trou béant perçait son front, comme si quelque dieu vengeur y avait apposé un doigt ensanglanté. L'arme responsable, sans doute, de cet orifice parfaitement centré avait été déposée sur le lit simple de Violette et semblait veiller le corps, sentinelle roide. Tout le monde savait au village que les vieux n'hésitaient pas à brandir la pétoire héritée du père pour menacer tout visiteur indésirable. Ce devait être là le vieux fusil, dont la bouche se tournait vers moi, comme prête à se décharger de nouveau.

Que s'était-il passé entre les murs de la vieille demeure ? L'odeur de chair putride m'agressait plus encore à présent. Elle m'avait envahi les narines, entrant en moi comme si elle voulait se mélanger à mon sang, altérer mon être. Mes pensées se brouillaient. Je complétai rapidement le tour de la maison pour confirmer que toutes les issues avaient été bouclées de l'intérieur. Les vieux fermaient tout à clé, à l'ancienne. La possibilité qu'une main criminelle extérieure ait pu tuer les trois habitants s'éloignait à la vitesse grand V. Il fallait se rendre à l'évidence : l'un des vieux avait massacré les autres. Par la lame, par l'arme à feu, par le poison peut-être… Seule Huguette avait pu s'éteindre de mort naturelle, mais là encore rien n'était moins certain.

Quel drame avait donc bien pu déchirer ces trois êtres soudés depuis des décennies par la vie, ces deux femmes et cet homme qui avaient vieilli côte à côte, avec eux-mêmes pour seuls confidents ? Lequel des trois avait décidé, à l'orée de la sénilité et de la fin de la vie naturelle, de hâter les choses, d'assassiner les membres de sa famille ? Et quels avaient été leurs rapports réels, les sentiments qu'ils avaient entretenu les uns envers les autres ? Ceux-ci avaient-ils été statiques ou avaient-ils évolué au fil du temps, érodés, pervertis par l'ennui, par des querelles, autant de blessures mal guéries ? Pour quelles raisons allaient-ils finir ainsi sur la table d'un pathologiste en quête de réponses ?

Tant de questions. Je pensai un moment que l'Alzheimer qui rôdait dans la maison avait pu pousser l'une des sœurs, l'épouse peut-être, à un geste désespéré visant à éviter que la maladie les sépare. Puis je revis la blessure béante découpée au couteau dans la gorge d'Alfred. Qui aurait pu lire un geste secourable dans cette horreur ? Au contraire, tout dans la mort du vieillard criait la rage et le désir de détruire. Je hochai la tête, pensant à ces trois vies improbables. Je les imaginais à la fin du jour de labeur, assis tous trois côte à côte sur le banc de pierre moussu devant la maison, à regarder le soleil couchant, lui fumant la pipe. Une grande tristesse me saisit.

Je me secouai. Les réponses à toutes mes interrogations ne pourraient sans doute venir qu'avec du renfort.

Il me fallait retrouver mes réflexes de policière et appeler le QG. Un triple décès dont au moins deux morts violentes allait créer une véritable commotion dans la région. La brigade d'intervention spéciale de Dijon allait être dépêchée sur les lieux. Ce serait le cirque médiatique pendant des jours.

Je sortis mon portable et appuyai sur une touche de composition rapide. Mon interlocuteur, d'abord incrédule, se mit rapidement en action.

— Vous restez là ? On y sera dans l'heure.

Une heure. Je soupirai. Tout prenait du temps dans le coin. C'était le prix à payer pour l'isolement. Quoique ces clients-là ne se plaindraient pas de devoir attendre. Je pensai à la vache dans l'étable, ses vieux pis desséchés sans doute en attente douloureuse de traite. Peut-être devrais-je y voir, car à quoi bon veiller des corps putrides... Je me déplaçai dans la maison pour jeter un regard à Huguette, la gisante. C'est alors que j'aperçus un objet qui dépassait sous le flanc du cadavre, comme si on l'y avait dissimulé. Une couverture sombre, un livre ou un carnet. Je tirai de ma pochette de cavalière une paire de ces gants de latex léger que je traînais en tout temps, les enfilai, et dégageai doucement l'objet, veillant à ne pas perturber la position du corps. Il s'agissait en effet d'un cahier antique à la lourde couverture cartonnée, tellement usé d'avoir été manipulé que les coins en étaient décolorés. Ma main gantée parcourut les pages quadrillées. Elles étaient couvertes de nombreuses lignes tracées parfois à la mine, parfois au stylo, de couleurs différentes, par blocs variables de dix ou vingt. De toute évidence un journal personnel. Je contemplai le visage mort d'Huguette. Était-ce elle, ou plutôt ce cahier, le détenteur du secret ?

J'émergeai de la froideur morte de la maison, clignant des yeux dans la lumière du midi, et m'installai sur le banc de pierre. Le vol ronronnant d'un bourdon me frôla et je faillis me pencher pour vomir tant il évoquait pour moi les cadavres piqués de mouches. Les chats étiques rôdaient autour des petites buttes marquant les tombes de leurs prédécesseurs. Pour ceux-là, ces derniers minous d'une lignée qui s'éteindrait bien vite, personne ne creuserait de fosse. En regardant les monceaux, je vis que des marmottes ou quelque autre animal avaient bouleversé la terre tout autour, générant de drôles de monticules. La croix blanche, en particulier, semblait avoir été bousculée et se tenait de guingois. Quelle sépulture les vieux avaient-ils prévue pour eux-mêmes, eux qui avaient pensé à leurs animaux familiers ?

Je détournai les yeux des monticules et ouvris le journal. Les premières pages étaient datées de 1984, et les entrées étaient inégales, sporadiques. Dans l'étable, Marguerite appelait toujours, en vain. J'étais fascinée, captive des pages, de ces fragments de la vie d'Huguette, et à travers elle, de la vie des deux autres. Remerciant mon cours de lecture rapide, j'écrémai à toute vitesse les pages : il s'agissait de notes, très espacées dans le temps, sur l'exploitation, des remarques sur le temps, une vache vêlant, bribes de quotidien dénuées de toute sentimentalité. L'auteure du journal avait cessé d'y consigner ses lignes quelque part dans les années 1990. L'écriture lâche de la dernière entrée de cette époque dénotait une indicible lassitude, une mollesse, un affaissement que j'avais déjà relevé dans les lignes de personnes aux prises avec la dépression. Ensuite, plus rien. Un bloc de pages aux deux tiers du cahier était demeuré vierge. Mais alors que je pensais en avoir épuisé le contenu et que je le feuilletais une dernière fois, je vis que les vingt dernières pages environ, elles, avaient été remplies de texte à l'écriture serrée et presque illisible, visiblement tracée de la même main, mais une main plus fragile, comme arthritique, en tous les cas certainement âgée. Ainsi Huguette avait-elle tardivement repris son récit et, cette fois, elle y mettait ses tripes. L'entrée n'était pas datée, mais je compris vite la terrible actualité du texte. Ces lignes étaient un testament, une explication posthume.

Quand les secours arrivèrent enfin et qu'une débauche de sirènes et d'uniformes envahit la cour de la ferme, je levai la tête, sonnée. Le cahier avait livré ses secrets.

Journal d'Huguette

*Qui serez-vous, vous qui nous trouverez ainsi, tous trois, sans vie ? Aujourd'hui, malgré tout, je suis encore tentée d'essayer de vous imaginer, de deviner vos traits qui se transformeront sous l'effroi devant le spectacle de nos dépouilles fraîches, ou plus probablement décomposées de quelques jours, vu nos habitudes d'ermites des dernières années. Serez-vous le livreur, toi, Jacques, que j'ai connu gamin sur les bancs de mon école ? Ou un policier envoyé par le village inquiet, tardivement, de notre silence prolongé ? Peu importe, qui que vous soyez, je vous présente nos excuses, je devrais dire « mes » excuses.*

*Tout est fini à présent. Le silence est complet autour de moi et je suis seule. La maison est morte. La mort est ma maison, plutôt. Tiens, cela ferait un joli titre de livre, de ces ouvrages que j'aimais tant plus jeune, avant que mon univers se rétrécisse autour de la ferme, ce vortex qui nous a avalés. Et qui a eu notre peau.*

*Si vous qui nous trouvez avez plus que la quarantaine, et que vous êtes du pays, vous vous souviendrez sûrement que la ferme si silencieuse aujourd'hui a connu des jours meilleurs. Même si nos parents n'ont jamais été de joyeux drilles, s'appliquant au labeur du lever à la tombée du jour, nous y vivions heureux, au milieu des fleurs, dans les odeurs alléchantes de la cuisine de ma mère. Les gens du village y étaient parfois invités ou passaient pour affaires. C'est ainsi que mon époux, Alfred, celui-là même avec le gros trou dans la gorge, a découvert et embrassé mon royaume.*

*En nous trouvant aujourd'hui, vous êtes incrédule, vous avez tout le mal du monde à nous imaginer jeunes et beaux (car nous le fûmes), amoureux, nous cachant derrière les buissons de ronces pour nous embrasser à l'abri du regard paternel. Et pourtant! Je peux honnêtement dire que j'ai aimé Alfred passionnément. C'est sans doute cela qui m'a perdue. Pourtant, c'est lui qui m'a courtisée, longtemps, avant que je ne succombe et ne devienne folle de ses grands yeux sombres et de son torse puissant. Car j'étais belle et indépendante, je vous le jure.*

*Nous nous sommes mariés alors que j'abordais la trentaine. Il n'a pas hésité un instant à quitter son exploita-*

*tion pour venir vivre à la ferme, avec mes parents et ma sœur aînée, Violette. Au début, il avait la mauvaise habitude de la taquiner, lui lançant des compliments moqueurs. La pauvre rougissait tellement, je la prenais en pitié, elle qui fuyait les hommes, quoique ceux-ci le lui rendaient volontiers. Puis, peu à peu, il s'est tenu plus tranquille. Il faut dire que le travail ne manquait pas, la ferme était prospère. Nous y avons été bien, en harmonie, pendant les quinze ou vingt premières années, enfin heureux à l'aulne de notre temps, qui se satisfaisait de joies simples, même si l'absence d'enfant pour prolonger notre union nous attristait.*

*Quand les parents sont morts, à quelques mois d'intervalle et sans fanfare, j'ai abandonné mon travail à l'école pour aider à la ferme. C'est là que nous avons commencé à nous replier sur nous-mêmes, insensiblement et sans nous en rendre compte. Lentement, le ciel s'est assombri. Comme des homards dans une marmite d'eau portée graduellement à ébullition, nous nous sommes endormis dans la solitude et la routine de la ferme.*

*Il faut dire qu'Alfred n'était pas commode. Il avait fallu que je laisse mon poste d'institutrice au village pour vraiment mesurer combien son caractère s'était aigri au fil du temps. Je l'aimais encore, pourtant, mais nous nous tiraillions beaucoup à cette époque où l'âge mûr nous guettait et où s'éloignait la perspective de fonder une famille. Violette, qui finalement l'avait plus côtoyé que moi dans ces premières années, semblait mieux le comprendre et ne pipait mot quand il piquait ses colères pour un oui ou pour un non, quand un chat (Violette a toujours été folle de ses chats) avait volé un morceau de lard, quand le vent avait emporté du linge oublié sur la corde, quand le potage n'était pas chaud...*

*Mais quelle que fût l'atmosphère, nous nous serrions les coudes, bon an mal an, nous faisions bloc contre l'extérieur malgré les tensions grandissantes. Je me suis souvent demandé pourquoi Violette restait. C'est vrai, elle n'avait pas de grandes capacités intellectuelles, ni de métier, mes parents l'avaient trop couvée, même si elle était l'aînée. Et elle n'était guère adaptée à son temps, je crois. Elle suivait l'ordre des choses, comme nos bovins suivaient la vache de tête du troupeau.*

*Nous avons touché le fond pendant la maladie de Violette. Elle avait pas loin de la mi-quarantaine, alors, et a failli y passer. Des jours durant, elle est restée aux prises avec des fièvres terribles, qui la laissaient épuisée et sans conscience. Bien sûr, Alfred refusait d'appeler le médecin. Malgré la colère, c'est moi qui l'ai veillée, pansée, et ramenée à la vie. C'est moi aussi qui ai nettoyé les dégâts. Qui ai passé l'éponge, dans tous les sens du terme. Mais ce fut la cassure.*

*Après cela, nous avons marché cahin-caha vers la vieillesse dans un climat de méfiance. C'était comme si nous ne pouvions plus envisager l'avenir, que ce soit ensemble ou séparément. Notre existence était devenue mécanique. Nous survivions plus que nous ne vivions, et plus que jamais nous nous réfugiions dans la routine, notre seule boussole. Même là, le cœur y était de moins en moins, et la ferme s'est dévitalisée bien avant que nos forces physiques ne nous abandonnent. Violette a voulu partir, dans ces années-là, à mon immense surprise, mais Alfred l'en a dissuadée alors que, moi, je priais pour qu'elle le fasse. Fut-ce la peur de ne pas pouvoir assurer sa subsistance ou simplement celle d'affronter un monde totalement inconnu ? Violette est restée. Visage pâle, regards en biais. Mais elle est restée. Aujourd'hui, je me dis que, si elle avait eu le courage d'aller au bout de son geste, tout aurait été différent.*

*Nous avons clopiné comme trois handicapés sur ce qu'il restait du chemin de nos pitoyables vies, ne sachant plus quels mots mettre sur les sentiments et les haines qui nous liaient. Plus personne ne venait à la ferme. Plus de trente ans comme cela, entre six yeux, nos activités s'amenuisant au fil de l'âge, rendant plus improbable encore toute velléité de départ. Trente ans, c'est long, vous n'imaginez pas. Trente ans à se demander qui mourrait le premier.*

*Puis, récemment, Alfred a commencé à perdre la tête. Contrairement à d'autres vieux séniles, il n'est pas devenu plus mauvais, au contraire, la démence émoussait un peu les aspérités nombreuses de son caractère. Lui si silencieux devenait disert, le sot! Violette et moi l'avons regardé, inquiètes et impuissantes, se défaire devant nos yeux et replonger dans le passé de façon dangereuse. L'assistante sociale a vite flairé l'aubaine (qui l'avait alertée, je me le demande bien), elle a tout fait pour nous faire plier bagage, mais il était trop tard pour nous. Comment aurions-nous pu redémarrer ailleurs, séparément? Non, il fallait aller jusqu'au bout. Boire le calice jusqu'à la lie…*

*Je sais, je m'étends, vous êtes pressé d'en finir, qui que vous soyez. Mais accordez encore quelques minutes de votre précieux temps à une morte qui raconte son histoire. Peut-être avez-vous déjà deviné le dénouement. Il est arrivé brutalement, un soir. Violette avait rangé la vaisselle, je relisais* La Fortune des Rougon-Macquart, *je ne m'en lasse jamais… Nous avons vu Alfred jouer avec le vieux fusil de Papa. Je confirme que, malgré son air antique, l'arme fonctionne à merveille. Violette a voulu la lui retirer: «C'est dangereux», a-t-elle dit de sa voix mâle. Mais, étonnamment, le vieux fou a regimbé: «Toi, la ferme!» Ajoutant avec un air vicieux: «Tu ferais mieux de demander à ta sœur ce qu'elle a fait de ton gamin.»*

*Puis il s'est rassis dans son fauteuil, tandis que Violette m'a regardée avec stupeur. Vous vous interrogez. Un gamin dans le portrait, première nouvelle ! Vous n'avez pas eu un petit doute quand je vous ai parlé des fièvres terribles qui ont failli avoir la peau de Violette, dans la quarantaine ? Toujours est-il que je me suis plantée droit devant elle : « Ne l'écoute pas, c'est un vieux sénile. Il ne sait pas ce qu'il dit. »*

*Mais dans son fauteuil Alfred a ricané, coassé :*

*« Tu as vraiment cru, ma pauvre Violette, qu'on avait enterré le marmot avec les chats, comme te l'a dit Huguette ? Demande à ta charmante sœur ce qu'elle en a fait, plutôt. Et rappelle-toi que c'est elle qui a tout décidé. Moi, j'aurais pu m'accommoder d'un môme. C'est elle qui a insisté pour le donner… »*

*Violette, bien sûr, a hurlé et s'est ruée sur moi. J'ai réussi à m'échapper, car mes jambes sont encore de fidèles servantes, et je me suis réfugiée à l'étage. La chambre de ma sœur étant la plus isolée, je m'y suis barricadée, tandis que je l'entendais claquer la porte d'entrée. Elle a dû foncer sur le carré de tombes de ses chats et chambouler la sépulture plantée de la croix claire où je lui avais dit avoir enterré son enfant mort-né. Son bâtard, né de la fornication de mon Alfred avec cette moins que rien. Cette moins que rien capable de produire un enfant vivant. Tout à fait adoptable dans ces campagnes profondes…*

*Eux qui m'avaient trompée me faisaient passer pour la mauvaise! La rage m'aveuglait, mais je gardais la tête froide. J'ai toujours été la plus sensée des trois. Puis la porte de la petite chambre où je me terrais, entre peur et fureur, s'est ouverte sous une forte poussée. Elle était encore vigoureuse, la Violette, et impressionnante, avec son arme brandie et son air furieux. «Je vais te tuer! Tu m'as privée d'une vie avec mon enfant. J'ai un fils ou une fille quelque part… De quel droit?» Mais Violette n'avait jamais été très futée, la pauvre. Elle a commis l'erreur de s'approcher de moi et de m'offrir une prise sur le fusil. La suite, vous l'avez vue. Papa m'avait appris à tirer et j'avais bien compris. Il y a quand même une certaine satisfaction à constater que l'âge ne vous dépouille pas de tous les apprentissages.*

*Je l'ai laissée roide morte et suis redescendue. Alfred ricanait tout seul dans son fauteuil. Je ne crois pas qu'il avait réalisé que Violette avait pris une prune en plein front. Sinon, il aurait eu un autre ton pour me dire, goguenard: «Tu sais quoi, Huguette? Il y a longtemps que je ne peux plus te supporter. En fait, tu sauras que pas mal vite, c'est Violette que j'avais envie de rejoindre, le soir, et pendant toutes ces années. Tu n'as jamais été qu'une pimbêche froide, sans sentiments.»*

*Je n'ai pas pipé mot devant ce vieux débris rigolard qui ne mesurait pas l'impact de ses paroles délirantes. Je ne me suis pas demandé si la démence lui faisait dire n'importe quoi, s'il était vrai que ma vie, tout comme celle de Violette, avait été bâtie sur un mensonge. Mais je savais quoi faire. Je lui ai souri aimablement et suis retournée à la cuisine. J'avais conservé une affection particulière pour la batterie de couteaux de cuisine que ma mère puis moi avons toujours soigneusement gardés parfaitement affûtés. Ah, toutes ces têtes de lapins que nous avons tranchées au fil des décennies! J'ai choisi non pas le plus gros, mais le plus effilé et le plus maniable. Mon seul regret est qu'Alfred ne m'ait pas vue venir, par-derrière. Mais il a souffert quand je lui ai figé son sourire dans la gorge, cela, je vous le jure.*

*Voilà, la petite histoire de notre microcosme et de son drame touche à sa fin. Je vais me faire une bonne tasse de thé agrémentée du gros de la réserve de somnifères d'Alfred. Depuis longtemps, j'en mets de côté de petites quantités, on n'est jamais trop préparé, n'est-ce pas? Les autres n'ont pas laissé de directives pour leurs funérailles, mais sur ma tombe, inscrivez seulement: «Elle aurait pu avoir vécu.»*

Je relevai la tête, frissonnante. Il me fallait accueillir la brigade de mes collègues. Mais avant, j'avais une vache solitaire à secourir.

# III

# Tableau d'horreur

— Il a pas changé d'un poil ses habitudes. Vraiment ! Pourtant, on aurait pu penser que ça l'aurait un peu adouci, que ça aurait changé un peu sa perspective…

— Bah, on réforme pas un vieux bouc, pas à son âge, il a son système de vérités, pas de discussion, on sacrifie au dieu du Journal. C'est comme ça dans son monde, point barre. Et puis il a l'appui du grand *boss*. Non seulement l'appui, mais on s'attend à ça de lui, c'est sa raison d'exister ici… alors, changer, tu parles…

— Quand même, c'est dur à croire… après ce qui s'est passé…

Les types avaient baissé le ton en le voyant surgir au détour d'une colonne de béton, mais il les avait entendus jacasser dans leur coin douillet de la salle de rédaction. Des planqués. Les deux chefs de pupitre, des vieux de la vieille, les rares contre lesquels, même s'il était directeur de l'information, il ne pouvait rien. Il se massa la nuque. De toute façon, il se foutait bien de ces médiocres qui comptaient les jours avant leur retraite en en faisant le moins possible. Ils n'étaient plus nombreux dans la boîte et ce n'étaient pas eux qui gardaient le journal dans la course, bon an mal an, malgré la crise qui rongeait le monde des médias imprimés. Il savait pertinemment que l'état d'esprit de ses collègues à l'égard de son approche managériale reflétait celle de la plupart des gens à l'extérieur du monde clos du tabloïd bostonnais. Pourtant, même eux auraient dû reconnaître que les résultats étaient au rendez-vous, et ce, depuis une grosse décennie. Et c'était vrai, son rédacteur en chef comptait sur lui. Au diable les rabat-joie et les dommages collatéraux. On ne fait pas d'omelette sans casser d'œufs. Le monde de l'information, aux États-Unis comme ailleurs, était dur, cruel ; c'était un fait que les jeunes recrues devaient accepter, intégrer. Sinon, ils avaient le choix d'en sortir et de devenir fonctionnaires, par exemple. Bien sûr, parfois, la sortie était brutale. Mais certaines personnes n'avaient simplement pas l'étoffe de journalistes, et si leur santé psychologique était trop fragile et qu'ils décidaient de s'ôter la vie à cause d'un échec, ça, ce n'était pas son problème.

— Beau journal encore ce matin, Luke, mon vieux! La une avec la vieille battue par son fils, ça frappe fort! Émotion, empathie... génial!

La silhouette trapue surmontée d'une crinière frisée du rédacteur en chef du journal fila sans s'arrêter, le pouce en l'air. Luke sourit. Au moins un qui le comprenait et qui l'approuvait. D'ailleurs celui-ci ajouta à la volée:

— Pis au fait, hésite pas à nous débarrasser du bois mort. On veut une salle de rédaction *lean and mean*. Les journalistes, ça coûte cher... faut au moins que ça rapporte. On se comprend?

Luke hocha la tête et referma la porte de verre trempé qui isolait son bureau du petit hémicycle de la salle de rédaction. Le local se trouvait toujours aux trois quarts vide parce que depuis la refonte les journalistes télétravaillaient pour la plupart. Ils ne faisaient que de brèves incursions au journal, se déployant sans relâche sur le vaste territoire de la métropole en quête de sujets insolites, exclusifs. Télétravail, un terme qui sous couvert d'évoquer la liberté des baroudeurs de l'info signifiait plutôt que la horde de jeunes reporters étaient liés à Luke par une laisse aussi omniprésente qu'invisible : leur cellulaire, sur lequel il ne se privait pas de les appeler à toute heure du jour et assez tard en soirée pour leur aboyer ses consignes. Il fallait bien leur apprendre la base, à ces recrues.

Son bureau minimaliste donnait sur une rue en pente de Beacon Hill bordée d'arbres que l'automne avait léchés de sa langue de feu. Il alluma son ordinateur portable tout en regardant sans les voir les passants coquettement sapés qui se hâtaient vers leurs demeures bourgeoises du centre-ville ou leur maison de banlieue, dans la clarté déclinante. À leur place, il crut la voir passer, elle, l'espace d'un instant, mince silhouette recroquevillée sur son désarroi, fuyant sous la pluie comme elle l'avait fui ce dernier jour. Il se secoua. C'était du passé. Depuis quand tombait-il dans le sentimentalisme ? Elle n'avait pas livré la marchandise, que pouvait-il faire d'autre ?

Pour se remettre d'aplomb, il fixa ce que tout le monde dans la chaîne alimentaire de la boîte au-dessus des journalistes appelait ironiquement son « tableau d'honneur », un grand babillard de liège fixé au mur. Ce babillard avait commencé un peu à la blague, des années plus tôt, quand un collègue lui avait suggéré de se créer un tableau de chasse de toutes les recrues qu'il avait joyeusement sacquées au fil de sa carrière.

Luke l'avait pris au mot. Le rédacteur en chef avait adoré l'idée. Tableau d'honneur, tableau d'horreur, de tous ces journalistes qui étaient passés entre ces murs sans y rester et lui avaient valu sa réputation d'ogre. De mangeur de jeunes reporters. Un surnom qu'il assumait pleinement. La planche de liège était construite autour d'une photo de lui-même, ricanant, le bleu acier de ses yeux exorbités comme ceux d'un dément, la bouche convulsée en un sourire carnassier. Un cliché pris par l'un des photographes du journal un soir de fête et de dérision, mais qui le représentait bien. Autour de la photo se déployait une constellation de gommettes rouges, comme autant de gouttes de sang, des pastilles de 10 centimètres de diamètre marquées de noms : Bianca M., Richard C., Lucia G.... Chaque rond rouge représentait une recrue qui était entrée pleine d'espoir au quotidien de la rue Tremont et qui en était ressortie la tête basse, souvent après de courtes et douloureuses journées, plus rarement après quelques mois. Ceux qui restaient constituaient l'exception. Ce n'était pas sa faute à lui s'il y avait beaucoup d'appelés et peu d'élus, et si la jeune génération n'avait pas le goût du sang nécessaire pour ce métier. Il soupira. Il y avait encore de la place au babillard pour d'autres pastilles. D'ailleurs, il allait bientôt se défaire de deux ou trois des petits nouveaux de l'été qu'il gardait le temps de les remplacer par un arrivage frais.

— Ta nouvelle journaliste est arrivée.

Il sursauta. Cindy, la secrétaire aux yeux cernés, perpétuellement de mauvaise humeur, avait ouvert la porte sans frapper, il détestait cela. Il l'aurait bien remise à sa place, mais déjà elle s'effaçait pour laisser passer une forte fille, une vraie jument de trait au visage vigoureux et à l'allure pleine de confiance. Habillée comme un homme avec ses treillis mal coupés. Il grimaça. Avait-on affaire à une *butch* ? Enfin, qu'importait, elle savait écrire, celle-là, et surtout, pas mal plus important, elle ne se laissait pas impressionner, peut-être tiendrait-elle la route. On verrait à l'usage. Il était souvent déçu. Hélas, les CV les plus garnis cachaient fréquemment un vide sidéral et un manque de *guts*.

Au bout d'une demi-heure, il s'était fait une tête sur la gamine et l'avait engagée. De toute façon, il ne risquait rien à l'essayer, la sécurité d'emploi étant une notion qui avait été enterrée depuis belle lurette dans la boîte.

— Tu commences demain. Et je m'attends à ce que tu arrives avec des idées. Des idées que je ne retrouverai pas dans le *Boston Globe* ou le *Monitor*. On ne veut pas de manger mou, ici. On va vite voir si tu as notre ADN.

La grande bique repartit, un peu interdite par cette décision rapide et les paroles expéditives de Luke. Il soupira d'aise, contemplant de nouveau son sanglant tableau. Demain, il pourrait sacquer une de ces nullités. Gina ou Carol, il verrait. Elles étaient de même niveau, c'est-à-dire celui du caniveau. Pas capable de donner un angle juteux à un fait divers, et d'une timidité maladive toutes les deux. Qu'avaient donc ces filles modernes à manquer ainsi d'aplomb ? Peut-être devrait-il engager plus de garçons, mais ils se faisaient rares dans le métier. Avaient-ils entendu parler de lui et de son style ?

Les heures passant, le bruit augmentait dans la salle de rédaction. Les monteurs et les chefs de pupitre intensifiaient leur tâche pour boucler l'édition du lendemain. Il les salua en sortant de son bureau, mais aucun ne répondit. Tant pis pour cette bande de nuls ! Il faisait nuit noire quand il quitta le journal pour mettre le cap sur sa grande maison isolée de Watertown, en banlieue de Cambridge, de l'autre côté de la Charles River. Boston la frénétique s'apaisait dans le sommeil, à l'exception de certains points chauds comme le quartier de la Combat Zone, un endroit fertile en matière première pour le journal. La route qui le ramenait chez lui longeait la surface étale de la rivière endormie, puis le cimetière Mount Auburn et ses rangées infinies de défunts de toutes les époques bien alignés, des tombes antiques mangées par la mousse aux monuments de marbre flambant neufs. C'était là même où il s'était présenté, trois jours plus tôt. Et s'était fait éconduire comme un chien enragé par la famille de la fille. Il grinça des dents de colère en déverrouillant sa porte et en désactivant le système de sécurité, le temps de pénétrer dans la demeure silencieuse. Il se revoyait, tournant le dos, chassé entre les allées tel un malpropre par la mère et les oncles de la gamine. Leurs cris, leurs imprécations.

— Vous l'avez tuée ! Vingt-deux ans, elle n'avait que vingt-deux ans ! Comment avez-vous pu être aussi dur avec elle ? Elle rêvait d'être journaliste ! Vous l'avez brisée !

Il avait eu conscience des regards de haine émanant du groupe nombreux des amis et parents qui avaient formé un demi-cercle autour de la fosse fraîchement creusée et flanquée d'une orgie de fleurs. Comme si c'était lui qui l'avait tuée ! Ridicule ! *If you can't take the heat, get out of the kitchen*... Mais il n'avait pas trouvé les mots pour répliquer sur le coup, leur dire qu'eux aussi avaient leur part de responsabilité, qu'ils auraient dû déceler les failles de cette enfant gracile qui n'avait tout simplement pas d'épine dorsale, malgré sa jeunesse et sa beauté. Mais il n'avait pu que tourner les talons et fuir.

Il jeta un œil critique sur la maison plongée dans la pénombre et soupira en se servant un scotch, puis sursauta. Bon sang! C'était vrai, comment avait-il pu oublier? Au cimetière, cette jeune rousse, de ce même roux vif, la sœur, l'avait rattrapé alors qu'il se réfugiait dans son 4x4 et lui avait collé violemment dans la main une enveloppe blanche cachetée:

— Elle tenait à ce que je vous remette ça.

Des yeux bleus intenses, comme ceux de la morte, mais inflexibles, durs de haine.

— Quoi donc?

La pluie qui s'était mise à tomber, l'eau désagréablement tiède le long de son cou, comme les larmes d'une maîtresse éconduite, le grondement sourd de la famille au loin, semblable à l'incantation d'une secte.

— Vous verrez. Elle voulait absolument que vous le lisiez.

Il réalisait maintenant que l'enveloppe lui était entièrement sortie de l'esprit. Il la retrouva dans le coin réservé aux papiers divers, sur le comptoir de granit sombre de la cuisine. La retournant plusieurs fois avec méfiance, il finit par s'affaler dans son fauteuil préféré. Il déchira l'enveloppe et en tira un mince feuillet plié en deux, puis fronça les sourcils.

Décidément, cette fille avait été bien fêlée... Une seule ligne tracée à la main cassait la blancheur de la feuille, quelques signes tracés à l'encre bleu clair, délavée comme l'avait été la personnalité de son auteure :

*09-16 p56*

Il se gratta la tête, tenté de jeter cette bêtise au panier. Qu'avait-elle donc voulu lui dire ? Mystère et boule de gomme... Qu'importait après tout, à quoi bon ressasser ?

Il dut s'assoupir quelque temps. Mais soudain, il se redressa d'un coup. C'était comme si un courant électrique lui avait traversé le corps en même temps que la compréhension se faisait en lui. Bien sûr, c'était limpide ! Il se leva à la hâte. Tout près de la baie vitrée qui donnait sur le jardin aux grands arbres plongés dans la nuit, il avait aménagé un coin bureau qu'il utilisait peu, vu la longueur de ses journées au boulot. Par terre, une pile des éditions du journal des deux dernières semaines, qu'il gardait méthodiquement toujours à jour, l'attendait. Il fourragea fébrilement, prenant à peine le temps d'allumer la lampe de table pour mieux y voir. Saisissant l'un des journaux, il vérifia la date. Le 16 septembre, c'était cela. Que recelait la page 56 ? Car tel était le message, assurément. Une date, un numéro de page. Il parcourut fiévreusement l'édition, se livrant à un rapide calcul mental. Le 16, c'était le surlendemain du drame. Le jour de la publication de l'avis de décès. La page 56, il le savait bien, lui qui connaissait intimement la composition de son tabloïd, était plutôt réservée aux petites annonces. Il n'eut pas à chercher longtemps. Un texte assez substantiel, de ceux qui coûtent 100 dollars au bas mot et qui sont mis en évidence par un liseré noir, l'appelait haut et fort :

**À Luke**

Il s'épongea le front. Pas de doute, la petite annonce était pour lui.

**À Luke**

Il eut un frisson. Elle lui avait écrit depuis sa tombe. Elle devait vraiment lui en vouloir. Peut-être en effet avait-il été trop dur avec elle. Elle était si jeune et si fragile…

Sa vue était brouillée, mais il parvint à déchiffrer les lignes puis, lentement, à en comprendre le sens :

*Adieu, Luke, tu as bien eu ma peau. Tu m'as eue, et tu as fait bien d'autres victimes à part moi, dans une moindre mesure. Tu es si fier de ton tableau ! Tous ces petits fantômes, je te souhaite d'en faire d'infimes vampires. Et je te le dis : les gouttes, ces pastilles que tu colles autour de ton visage, viendront dorénavant te saper ta vitalité, te drainer de ton sang, de ta vie. Pour chaque victime de plus, chaque pastille ajoutée, tu t'affaibliras un peu plus, tu perdras de ta force, de ta santé. Et alors que je quitte ce monde, je suis prête à parier que tu ne sauras pas t'arrêter à temps, pas même pour sauver ta misérable vie.*

Il grogna. C'était quoi, cette foutaise ? Comment un tel texte avait-il pu être publié sans qu'il en soit averti ? Il y avait un service de filtrage des contenus aux petites annonces, non ? Et si la gamine avait pensé lui faire peur, c'était raté, il n'avait rien d'un type superstitieux… Du grand n'importe quoi ! Des pastilles de papier collées sur un tableau qui lui saperaient le sang… Il jeta le journal sur sa pile et éteignit la lumière. Assez perdu de temps, au lit ! Demain, la journée serait chargée, comme toutes les autres. Et puis, il avait des gens à virer…

Le lendemain, les jours et les semaines qui suivirent s'enfilèrent sans qu'il repense vraiment au message de la morte, au rythme des échéances de clôture du journal, des événements, petits et grands, de l'information. De nouveaux journalistes entrèrent, il en congédia d'autres pour leur faire une place éphémère, ajoutant chaque fois à son tableau, mécaniquement, une pastille rouge qu'il marquait d'un nom. Il ne ruminait pas la malédiction de la défunte, mais, sans savoir pourquoi, il avait perdu le plaisir sadique d'élargir sa collection de journalistes renvoyés. En fait, se dit-il un matin de janvier en contemplant la rue assoupie sous la neige, il aurait carrément renoncé à son babillard si son rédacteur en chef ne venait pas régulièrement en prendre des nouvelles :

— Pis, Luke, me semble que tu ramollis ? La gourde, là, qui est pas capable de nous pondre un écrapou tous les trois jours, donne-moi une bonne raison pour laquelle sa face de mouton se montre encore ici ? Je ne voudrais pas penser que tu perds le feu sacré, mon vieux ! Tu sais que les temps sont durs, et les derniers chiffres sont loin d'être bons ! Et c'est pas comme si nos lecteurs étaient prêts à faire en masse le virage numérique…

En collant un cercle de papier rouge après avoir viré la journaliste en larmes, il se dit que peut-être, en effet, il avait perdu la flamme. Il n'était pas si vieux pourtant, et ne pouvait songer à arrêter. Et puis, que ferait-il de sa vie ? Son caractère intraitable lui avait fermé à peu près toutes les portes, et le journal était inscrit dans son ADN. Personne ne l'embaucherait ailleurs, d'autant qu'il avait joué quelques sales tours à des collègues aussi. Il était fondamentalement seul… Alors il ne pouvait que continuer, finir le chemin dans ces mêmes rails, pour le meilleur et pour le pire…

C'est au début de février qu'il commença à se sentir faible. Il avait la tête lourde, les membres tremblants. Un coup de fatigue, sans doute. Il travaillait si fort, et puis, il n'avait plus vingt ans. Alors il arrêta le jogging, prit des oligoéléments. Mais rien n'y faisait. Il allait mal. Il y avait un problème.

Le printemps porteur de clarté lumineuse, de renouveau et d'espoir ne charria dans son sillage qu'une aggravation marquée de son état. En avril, alors qu'il embauchait une nouvelle fournée de recrues pour en remplacer d'autres fraîchement poussées dehors, sa dégradation physique commença à devenir perceptible aux autres.

— Dis donc, tu es pâlot, Luke, lui lança un jour Justin, le graphiste, un gai flamboyant qui avait l'œil pour les détails.

— Ah oui, tu trouves ?

Luke ne put s'empêcher de pâlir encore. Dans les toilettes pour hommes, la lumière des néons, blafarde, lui renvoyait l'image d'un homme amaigri. Quand il était enfant, sa mère lui examinait parfois l'intérieur des paupières pour détecter des signes d'anémie. Dans sa communauté, la thalassémie, une anémie pernicieuse touchant les peuples de la Méditerranée, faisait des ravages. Il constata avec angoisse que la muqueuse de son œil était claire, presque laiteuse, alors qu'elle aurait dû être rouge vif.

— Eh, Luke, tu pars ?

Il n'avait pas entendu son rédacteur en chef le héler, trop pressé d'arriver au cabinet de son médecin. Il se dit en route qu'il voulait juste se rassurer, que son imagination lui jouait des tours. Mais son médecin ne fit que confirmer ses craintes.

— Bon, on va faire des analyses, mais c'est vrai que vous n'avez pas la forme. Je sais que vous menez une vie de fou, mais je vois des signes inquiétants. Dites-moi, dans votre famille, y a-t-il des cancers, des cancers du sang en particulier?

Luke repartit terrifié du cabinet médical. La prophétie de la gamine résonnait en lui. Il ne pouvait se décoller les mots de la tête…

Quelques jours plus tard, le verdict tombait par la voix distinguée de son praticien:

— Vos plaquettes sont basses. C'est une anémie pernicieuse. Peut-être une leucémie aiguë, je ne sais pas. Il va falloir faire enquête pour en trouver la cause. Vous devriez prendre un congé de maladie.

— Pas question.

Le médecin soupira. Il connaissait son client et sa tête dure.

— C'est votre vie.

Car Luke préférait s'entêter, travailler plus dur encore, pour ne pas entendre la morte qui lisait sa condamnation sans appel:

*Chaque pastille sapera ton énergie…*

Et pour ne pas voir les regards inquisiteurs des collègues. Il pouvait presque lire leurs pensées, jamais bienveillantes: « Oh, dis donc, il a une de ces têtes, le directeur! On dirait qu'il a une maladie grave. Tu crois que c'est un cancer? » Avec bien sûr un éclat distillé dans la voix, une dose d'anticipation. Et assez peu de compassion. Il n'avait jamais été populaire, même si on faisait profil bas devant lui, ce qui n'était qu'une sorte de crainte. Son ambition n'avait pas été d'être aimé, mais tout de même… Il repensa à la foule des proches de la morte, nombreuse, solidaire, réellement atterrée par la perte. Qu'en serait-il pour lui ? Qui viendrait le pleurer ? Personne ne le regretterait lorsqu'il serait…

Lorsqu'il serait quoi ? Voyons ! Que pensait-il là ? Il n'allait tout de même pas succomber à la peur ! Le délire d'une suicidée n'allait pas le dévaster ainsi ! Assis dans son bureau, il contempla son tableau d'honneur, qui lui parut macabre, de mauvais goût. Toxique. Une nouvelle vague d'effroi le saisit. C'était pourtant vrai que, la semaine précédente, après avoir signifié son congé à un jeune reporter, un homme cette fois, quand il avait apposé la pastille juste en dessous de sa photo, là où l'espace encore libre se remplissait, il avait senti sa poitrine se crisper, comme si une main glaciale, la main forte de l'invulnérabilité de la mort, venait lui saisir le cœur pour le broyer, pour en extraire la vie. Il avait suffoqué. Le pouvoir de la suggestion, tout de même !

La mine de fouine de son rédacteur en chef se pointa à la porte vitrée. Le *boss* n'avait pas aujourd'hui cet habituel sourire jovial qui cachait sa nature carnassière, impitoyable. Cet homme-là était plus implacable que lui-même, se rendait-il compte aujourd'hui. Après tout, c'était son journal à lui, et à la haute direction… pourquoi Luke y investissait-il tant ?

— Luke, il faut que je te parle. Qu'est-ce qui se passe ?

Luke fourragea dans sa tignasse poivre et sel taillée court comme celle d'un soldat.

— Qu'est-ce que tu veux dire, chef ?

Le bonhomme trépigna, affichant sa frustration sans filtre.

— Écoute, mon vieux, c'est pas à toi que je vais expliquer que, dans une boîte comme la nôtre, avec un contexte comme le nôtre, je peux pas faire du sentiment. Il faut que ça roule. Tu as toujours livré, mais depuis quelques mois, il y a du sable dans l'engrenage, du mou. Au point où la concurrence commence à se moquer de nous. Nos unes sont *soft,* nos articles ressemblent à ceux de l'Associated Press… Si tu es malade, prends congé et reviens en forme. Fais quelque chose. Et puis gère tes journalistes comme il faut. Il y a au moins trois ou quatre inutiles dans la salle, dont les deux qui sont dans la salle de rédaction en ce moment même, qu'on traîne depuis trop longtemps. Je veux que tu me liquides ça *illico presto.*

Franchement, regarde-toi aller, tu n'es que l'ombre de toi-même !

Ses petits yeux plissés, le chef avait ajouté :

— C'est sérieux, Luke. Vire-moi ces parasites, sinon c'est ta tête qui est sur le billot. La haute direction me souffle dans le cou. La publicité pique du nez. Alors allume, vieux !

Le rédacteur en chef tourna les talons. Devant cet ultimatum, Luke n'avait pas cherché à opposer toutes ses années de service fidèle au journal, ces heures interminables à gérer des crises, à retourner une édition à une demi-heure de l'heure de tombée, à assurer. Il connaissait la musique, pour en avoir lui-même composé des partitions. Dans le métier, on n'était jamais meilleur que sa dernière une, que son dernier reportage… Il soupira. Il était fatigué. Si fatigué. Il jeta un œil dans la salle de rédaction. Deux de ces bois morts que le *boss* voulait le voir éjecter piochaient laborieusement sur leur portable, leur dos courbé affichant la tension face à la menace dont ils se savaient l'objet. Luke eut une curieuse bouffée de pitié pour ces gamins qui étaient en sursis et qui, dans quelques heures, iraient se faire pendre ailleurs, dans un marché des médias en peau de chagrin. Peau de chagrin comme sa vie à lui, songea-t-il en soufflant péniblement. Son cœur, il le sentait, avait du mal à pomper, surtout depuis la dernière vague de mises à pied qu'il avait dû effectuer le mois précédent. Il était au bout du rouleau, psychologiquement autant que physiquement. En face de lui, le babillard lui semblait dégouliner de sang, les pastilles fondaient devant sa vision brouillée. Sur sa photo déformée, le rictus de son sourire se transformait en un cri désespéré à la Munch. Sa tête tournait terriblement, il se sentait défaillir, lâcher prise.

Le chef voulait qu'il vire ces deux-là. Cela irait au lendemain. Il était à terre et ne pouvait envisager la confrontation. Quand il leur annonçait la fin de leur emploi, certains pleuraient, d'autres tempêtaient ; au fil des ans, il avait été insulté, menacé, supplié…

Il capta le soupir de soulagement des deux jeunes quand ceux-ci le virent quitter le journal sans qu'il les ait convoqués. Il eut toute la misère du monde à se traîner jusque chez lui et se laissa tomber sur son lit sans même se déshabiller. La solitude et la peur le plombaient comme jamais. Si au moins une présence l'avait aidé à tromper l'angoisse, un animal familier, sinon un humain. Il ferma ses yeux douloureux. Le petit visage triste de la morte ne lui laissait pas de repos. Son monde à elle avait dû être peuplé de chiens, de chats, d'amis, de peluches conservées de l'enfance, de tout ce système de récompense duveteux et rose bonbon qu'il avait toujours trouvé futile, risible. Jusqu'à aujourd'hui… Il sombra finalement dans un sommeil fébrile. Son corps affaibli était agité de spasmes incontrôlables, et il rêva intensément. Des visages jeunes et pleins d'espoir défilaient, leurs traits se mélangeaient. C'était horrible. Il voulait que cela cesse.

Il s'éveilla aux aurores, plus crevé que la veille. Il jongla avec l'idée d'appeler au journal pour indiquer qu'il resterait à la maison pour se reposer, mais, en soupirant, décida de ramper jusqu'à la douche et de rallier le centre-ville. Son rédacteur en chef l'attendrait, il n'y avait pas d'échappatoire. Il faudrait rendre des comptes. Et, en effet, Luke ne s'était pas trompé. Il n'était pas huit heures et la salle de rédaction, déserte, était lugubre comme une maison qui a perdu son âme. Le *boss* trônait au centre de l'hémicycle, à la tête d'un royaume absurde aux racines pourries. Il avait l'air sombre.

— Tu as vraiment une tête de déterré, Luke.

— Je sais, articula-t-il faiblement.

Il marcha vers son bureau, s'assit. Il ne tenait plus debout, tant pis si le *boss* en prenait ombrage.

Le chef lui emboîta le pas.

— Je t'avais bien dit de virer les deux nuls. Donne-moi une bonne raison de ne pas l'avoir fait !

Le rédacteur en chef désigna le tableau :

— Je ne veux plus voir ces deux-là que sous forme de pastilles sur ton tableau de chasse, c'est clair ?

Luke leva les yeux pour rencontrer ceux, inflexibles, de son chef. Il souffla, sentant son cœur battre difficilement, irrégulièrement, comme celui d'un oisillon malade. Il avait pris sa décision.

D'un tiroir de son bureau, il tira le paquet de pastilles rouges encore vierges, en saisit une, une seule. Son rouge lui parut plus vif que celui des autres. D'un marqueur noir, il traça un prénom.

— Les deux, j'ai dit, vire les deux, gronda le chef.

Luke ne le regarda même pas. D'une main tremblante, il fixa la pastille, telle une goutte de sang figée, juste en dessous de sa photo, là où un espace semblait l'attendre. Son pouce retombait à peine qu'il se sentit partir en avant, la tête légère, le cœur figé dans un dernier battement interrompu. Avant de s'effondrer, foudroyé, il eut le temps de fixer la pastille au tableau d'honneur.

*Je suis prête à parier que tu ne sauras pas t'arrêter à temps, pas même pour sauver ta misérable vie.*

Une pastille qui portait son prénom.

# IV

# Seul

— Pousse-toi, le matou ! T'es dans nos jambes, tu vas nous faire tomber !

— Y es-tu laitte un peu, avec son poil pelé ! Y doit ben avoir cent ans ! Et pis y fait quoi tout seul icitte ? Y sont partis sans lui ?

— Bah, les chats, ça se débrouille sans humains… Ça s'attache à personne…

Ils étaient arrivés le matin, très tôt. Le soleil effleurait à peine de ses lèvres sableuses la rosée des prés autour de la demeure. De mon observatoire du rebord de la fenêtre de sa chambre, au premier étage, je ne les avais pas aperçus tout de suite. La forêt dense dans laquelle se nichait la maison obstruait la vue, même la mienne, jusqu'à la rivière en contrebas. J'avais d'abord senti dans mes os les vibrations de leur camion, gigantesque, qui haletait le long de la pente de gravier. Puis ils avaient envahi la maison de leur présence tonitruante et de leur odeur aigre, rance. Aucun des deux n'avait pris la peine de retirer ses grosses bottes avant de faire crier les planchers encore impeccables dont Elle avait été si fière. Ils avaient déplié de grandes toiles noires et roulé dans la maison des chariots dont les roues couinaient, me hérissant le poil. Ce poil dont le plus petit des deux se moquait, il n'avait pas toujours été pelé et sans lustre, bien au contraire. Il avait chatoyé sous la lumière d'été et avait fait sa joie à Elle, ma maîtresse et celle des lieux. Souvent, de son étrille douce, elle me brossait, assise sur le banc de pierre du jardin, avec des gestes lents, affectueux. Elle seule avait aimé s'attarder à parfaire ma beauté. Comme elle me manquait !

Les intrus n'étaient que deux bipèdes, mais si grands, si énormes et bruyants qu'ils auraient aussi bien pu constituer une armée.

Malgré leur odeur fétide et leur présence horripilante, je ressentais un étrange soulagement à ne plus être seul dans la demeure déserte. Leur raffut rompait l'ennui, la lourdeur solitaire de cette attente sans but qui me semblait infinie dans les murs morts de la maison, ce temps tué tant bien que mal entre une chasse aux mulots dont les museaux effilés me narguaient et des pauses de sommeil glacé. Les chats, cela ne se débrouille pas tout seul, non, pas quand ils ont été aimés, choyés dès leur jeune âge.

Je fermai les yeux, fatigué déjà de cette activité intense, si étrangère à mon vécu récent. J'aurais voulu ronronner, mais je ne savais plus comment. Combien de temps ? Un cycle de lune, deux peut-être s'étaient écoulés depuis qu'elle m'avait quitté. Ce matin-là, j'avais senti avant même que le soleil se lève un froid immense dans mon échine. C'était comme si une main géante avait étouffé la grande lumière dans le ciel. Soudain, il n'y avait plus eu que moi, je l'avais su tout de suite. Je m'étais étendu sur elle à même la courtepointe, cherchant du coussinet tendre de ma patte à capter son souffle léger. Mais il n'y avait plus rien. Elle était partie sans moi.

Sans moi.

Ensuite, ils étaient venus l'emporter. Je n'avais rien pu faire pour les arrêter. Ses grands enfants avaient empli la maison de leurs pleurs discordants. Des hommes sombres et silencieux sentant comme les boules qu'Elle plaçait entre ses vêtements dans l'armoire l'avaient saisie sous les bras. Avec une douceur dépourvue d'affection, ils avaient déposé sa petite carcasse dévitalisée dans la gigantesque boîte rectangulaire dont le fumet boisé enterrait les autres effluves, terrifiants ceux-là, qui avaient commencé à se déployer. Puis, quelques jours durant, la maison avait été écartelée par le brouhaha, les allées et venues de bipèdes connus et d'autres neufs, tous pressés et graves. On déposait parfois devant moi un bol de croquettes, distraitement. Mais je ne mangeais pas. J'étais si vide, si fatigué.

Puis ils étaient repartis, un à un. Sans moi.

— Et le chat ? avait lancé l'une des filles.

— Avec toutes les souris des environs, il n'est pas mal pris. Moi, en tous les cas, j'ai pas la place...

La porte s'était lourdement refermée. La maison m'avait semblé un tombeau. Pour un temps interminable, j'étais devenu l'héritier solitaire de ce royaume en deuil de sa souveraine. Jusqu'à ce matin où les deux types étaient venus vider la maison.

Il y avait eu des signes avant-coureurs de son éviscération. Peu de temps auparavant, le vacarme de coups de pioche à l'extérieur m'avait terrorisé. Je m'étais enfui sous le lit. Cela venait du pré devant. Les bruits de coups m'avaient paru horripilants, comme si on avait cloué la maison au pilori. Longtemps après que le silence fut revenu, j'avais trouvé le courage de me jucher d'un coup de reins raide sur la fenêtre de la cuisine qui donnait sur le pré. Un drôle d'objet rectangulaire inconnu marqué de lettres flanquait la façade mangée de vigne vierge. Qu'était-ce ? Cela n'avait rien présagé de bon.

Et là, ces deux costauds, qui s'agitaient sans me regarder.

Malgré leurs mots que je devinais peu aimables à mon endroit, je m'étais approché poliment pour me frotter à la jambe grosse comme un tronc de chêne du plus grand (celui qui sentait le moins mauvais), sans pouvoir émettre un son. L'homme m'avait écarté de la botte, sans méchanceté mais sans égard non plus, me signifiant comme les autres que je n'avais rien à faire dans sa vie. Il m'avait tourné un dos large comme le buffet de la salle à manger pour porter vers la sortie un fauteuil crapaud qu'il soulevait comme s'il s'agissait d'une brindille. J'étais atterré. Où l'emmenait-il, ce siège emblématique, celui même où, la vaisselle achevée, Elle s'asseyait, moi bien au chaud dans son giron, pour regarder ses émissions préférées avant de s'assoupir ? En peu de temps, les pièces, déjà partiellement pillées de leurs bibelots par les enfants, ont été mises à nu. J'en suis resté atterré.

Les chats n'ont pas la notion du temps, c'est ce que l'on dit, mais il me semblait qu'une période infinie s'était écoulée entre le moment où ils me l'avaient enlevée et l'irruption des deux costauds. Le temps sans Elle semblait s'étendre à perte de vue en un ruban sans cohérence, fou et versatile, comme l'élastique de ce jeu qu'elle m'avait fabriqué quand j'étais chaton, du temps où l'Homme existait encore.

C'était d'ailleurs grâce à l'Homme que j'avais vécu toutes ces années heureuses avec Elle. C'est lui qui lui avait offert le chaton rouquin et hirsute que j'ai été. Je conservais le vague souvenir d'avoir été transporté dans la puanteur sèche d'une grosse boîte de carton. Il m'en avait tiré pour me placer, aveuglé de lumière, sur les genoux de cette dame déjà vieille dont je ne savais rien. Elle s'était penchée avec de petits cris ravis, ses yeux pervenche avaient envoûté mes pupilles de jade. Tout de suite, nous n'avions plus fait qu'un, Elle et moi.

Je faillis ronronner sous la force douce-amère du souvenir, puis me souvins que plus jamais sa voix enjouée ne me murmurerait des mots affectueux. Le vide en moi se fit insupportable. Elle m'aimait tant. Plus que sa famille, ses trois grands rejetons et leurs descendances, c'est auprès de moi qu'elle avait puisé la force de continuer, quand l'Homme avait été emporté dans le camion hurlant pour ne jamais revenir. Cette tribu, il faut le dire, se moquait pas mal d'Elle et de sa peine, sous ses airs mièvres. Les hypocrites !

Je ne sais lequel des trois enfants je haïssais le plus : la logique toute simple aurait voulu que ce soit la plus jeune, car c'était une voleuse. Je dis « jeune », mais je lui avais toujours connu un visage ridé, non pas marqué comme Elle de ces empreintes délicates en forme de soleil, ces témoins d'une vie d'émotions et de partage, mais plutôt barré de plis amers, comme autant de sens interdits vers le cœur, qu'elle offrait au monde. Et puis cette bouche fermée sur un bâton fumant affichait un air perpétuellement frustré. Pour moi, son cas était réglé. C'était le Mal, le Mal évident. Je le savais, même si elle était sa préférée. La petite dernière. Celle-là n'avait qu'à s'approcher de moi pour que toute mon échine se cambre et que mes pupilles se dilatent d'horreur. Même son odeur m'était intolérable.

Il faut dire que, avant le départ de l'Homme, la jeune fripée tentait encore de demeurer discrète et que c'est en catimini, avec moi comme seul témoin, qu'elle allait harceler ma bipède adorée, revenant à la charge de sa voix aigre, ne lâchant jamais prise, pour lui soutirer mille choses. Et des billets à foison. Hélas,

Elle avait été bien trop bonne, bien trop généreuse. Je l'ai sentie trop fragile, trop pure pour voir le mauvais autour d'elle. Pourtant, c'est un nid de souriceaux puants qu'elle avait couvé toutes ces années. L'avait-elle compris, au moment de partir ? J'espérais que non.

Quand l'Homme avait disparu, les trois rejetons n'avaient été que d'un piètre réconfort. La deuxième fille, l'aînée, traînait perpétuellement dans son sillage une marmaille mal grandie qui me pourchassait sans qu'elle lève le petit doigt. Cette forte femme soufflait et soupirait sans cesse, se faisait caressante avec Elle, pour la galerie. Moi seul savais quel monstre d'égoïsme sommeillait sous cette face de lune et ces yeux sans expression.

Et puis il y avait le fils, peut-être finalement le plus terrible des trois, dans ses certitudes froides, avec ses : « Maman, c'est mieux pour toi, tu le sais bien. » Le jugement à la bouche et le sourcil froncé.

Heureusement, ils venaient rarement la voir. Elle et moi, nous nous étions appuyés l'un sur l'autre, longtemps encore après le départ de l'Homme. Je voyais bien qu'un bout de bonheur avait été avalé dans son ciel, une pièce que même moi je ne pouvais recoller. Et puis nous avons eu une chance. Une jeune femme du village, une créature vive dont le rire faisait mes délices et me donnait envie de ronronner furieusement, était venue l'aider chaque jour. Pendant un temps qui me parut terriblement court, sa présence joyeuse et simple avait enchanté la maison et requinqué ma maîtresse. Elle m'aimait, cette jeune personne, elle aussi, presque autant que ma bipède. Son pas vigoureux retentissait dans la cuisine dès le matin. Elle entrait, pleine de joie et d'odeurs florales des champs qu'elle avait foulés en chemin. Elle me servait mon repas et une tasse de crème qu'elle avait pensé à apporter. Puis elle vaquait au ménage, tandis que ma bipède babillait gaiement. Le soir, la jeune laissait sur la table un souper aux odeurs alléchantes, avant de repartir. Nous formions à cette époque un trio amical et mélancolique qui nous convenait bien. Nous nous asseyions souvent tous les trois sur le banc de pierre devant la maison, contemplant en silence le soleil que les cimes noires de la forêt avalaient, ogres goulus. On pourrait dire que nous étions heureux, alors. Jusqu'à ce que le fils en décide autrement.

Je l'avais surpris en train de chuchoter avec ses deux sœurs dans la cuisine, puis de la gronder, Elle. Des mots habituels dans la bouche du fils revenaient comme un mantra : « Cher, pas donné, pas besoin, on est capables de t'aider, ses intentions. Une étrangère. »

Ce type en costume était un rat plus rat que tous les petits rongeurs que j'ai écrasés de ma dent depuis que l'on ne me nourrit plus. Depuis que je suis seul.

La jeune fille avait pris congé, il y avait eu des larmes et des regrets. Alors nous n'avions plus été que deux. C'est là qu'Elle avait commencé à dépérir et que le goût de la vie l'avait quittée, je crois.

J'ouvris les yeux. J'étouffais dans mon placard et dans mes souvenirs. Les costauds s'agitaient dans tous les sens, arpentant les pièces de la maison. Ils touchaient tous les meubles, les uns après les autres, collaient sur les commodes une espèce de long ruban. La sueur libérée par leurs mouvements exhalait un éventail de puanteur qui m'a poussé à me réfugier dans le placard de sa chambre. Mon front fatigué était lourd de tristesse, car leur odeur venait ensevelir le rare parfum d'Elle qui rôdait encore et que je cherchais avidement chaque jour, le trouvant à tout instant plus évanescent, infime fantôme d'un fantôme en train de me dire adieu. Tapi au fond du placard pendant que j'entendais crisser les meubles que les hommes kidnappaient, j'ai trouvé un peu de réconfort. De vieux chandails empilés au-dessus de ma tête avaient gardé comme de moelleux coffres-forts le précieux parfum poudreux, ce subtil mélange nimbé de fleurs de lavande nourries de soleil. Ce parfum qu'Elle portait discrètement, élixir de passé et de nostalgie. En fermant les yeux, je pouvais presque voir son petit visage tout plissé d'avoir tant souri. Presque, presque, je pouvais m'imaginer encore sur ses genoux, jouant d'une patte délicate avec le papillon figé dans l'ambre miel de sa broche. Elle riant, heureuse. Hélas, elle n'était pas là, elle ne reviendrait plus. À quoi bon continuer ?

Du fond de mon placard, j'entendis la porte d'entrée claquer à plusieurs reprises. Un grondement étouffé monta en moi. D'autres bipèdes entraient. Ces pas saccadés, je les reconnaissais. La progéniture de l'enfer. Ils passèrent sans me voir, en bruyant conciliabule. Des mots fusaient et repassaient dans l'air : « Maison. Vendre, vite, acheteur, vétuste. Taxes. Argent. Argent. Argent. »

Puis, aussi vite qu'ils étaient entrés, ils repartirent. Ce fut fini. Le silence retomba sur la maison et sur moi. Sur ma solitude. Je refermai les yeux, cherchant à me concentrer sur son parfum, à ne plus vivre que par lui. À n'être plus que cette odeur, à la laisser avaler ma vieille carcasse pour me libérer, me permettre d'aller la rejoindre dans quelque pré ensoleillé, où qu'elle fût. Un gémissement sourd jaillit de ma gorge. Je n'avais plus rien à faire ici. Pas question de me laisser mourir dans la maison où nous avions eu tellement de joie, pas question de leur donner à eux trois le plaisir de trouver mon cadavre tout roide sur le carrelage. Symbole grotesque d'un temps révolu.

Non. Je préférais de beaucoup rallier la forêt qui me tendait ses bras moussus, aller me perdre dans le giron vert tendre de son sous-bois pour y fermer les yeux une dernière fois, en contemplant la beauté des arbres. La maison, elle, était trop forte de souvenirs. Mais à eux trois qui l'avaient trahie, Elle, qui lui avaient ôté le goût de vivre, à eux qui voulaient se débarrasser de la maison, je réservais une petite surprise. Déjà, l'odeur avait commencé à se faire sentir. Les gros balèzes avaient froncé le nez. Demain et tous les jours suivants, elle prendrait de la force, deviendrait insoutenable, omniprésente, impossible à déloger. Tous ces mulots morts dont j'avais soigneusement truffé les murs de la maison allaient, je le savais, finir par en imbiber le cœur de leur puanteur insupportable.

Avant qu'ils s'en débarrassent, ils en baveraient…

Je m'extirpai avec difficulté du placard. La tristesse me plombait les pattes. Je n'avais plus rien à faire ici, plus rien à faire dans cet endroit, moi dont personne ne connaissait plus l'existence. J'émergeai au plein soleil d'hiver par la chatière grinçante. Adieu maison, adieu notre vie!

La queue bien droite, je m'éloignai de la ferme, sans même regarder derrière. J'allais laisser les bois m'avaler quand je perçus au loin, à travers champs, une voix gaie qui hélait: «Minou! Tu es là? Où es-tu, mon pauvre chat qui est resté tout seul?»

Je me retournai, n'osant y croire. La jeune fille était revenue. Revenue pour moi.

Bien sûr, ce n'était pas Elle. Mais comme Elle, c'était une créature digne d'amour, présente et généreuse. Dans mon cœur de vieux chat, je sentis soudain l'espoir sourdre et, sans que j'en aie conscience, un ronronnement d'abord timide, puis puissant comme celui d'un tigre, se fit entendre.

# V

# Tandem

J'étais resté dehors le plus tard possible, planté sur la terrasse de notre appartement. Bien sûr, cela s'accompagnait d'un risque, mais je l'avais jugé modéré. Comme toujours, la contemplation du Vieux-Montréal, de son canal aux eaux mortes et, au-delà, du fleuve et de la ville m'avait capturé, me faisant oublier mon tourment et l'heure du couvre-feu. Tant pis pour le jogging, qui ne se pratiquait plus dans l'obscurité, de nos jours. De toute façon, je n'avais pas la tête à ça.

En regardant les édifices cligner de l'œil alors que s'éteignait le jour, je me sentais chanceux de faire partie des privilégiés auxquels on avait assigné un appartement dans l'étrange et luxueux immeuble à l'architecture fantasmagorique baptisé jadis Habitat 67, et qui constituait maintenant le cœur de Juvéna Centre. Pour avoir rendu visite à des amis de ma cohorte qui logeaient ailleurs, je savais que notre secteur, en plus de jouir d'une situation exceptionnelle, offrait des logements nettement plus coquets et spacieux que ceux d'autres zones, à commencer par le terrible Juvéna Nord, très mal fréquenté (jusqu'à la fermeture complète des frontières, on y avait entassé les réfugiés, entre autres) et surveillé de près par les milices. Quant à Juvéna Sud, à la limite de Brossard et de Longueuil, le ghetto avait la réputation de faire nouveau riche et abritait surtout les oisifs et autres fils à papa.

Le son de mon écran multitâche m'aspira aussi sûrement qu'un siphon à l'intérieur de notre appartement de deux chambres à coucher. Les murs revêtus de tentures sobres mettaient en valeur la généreuse fenestration des lieux. Captant du coin de l'œil un chandail bleu marine abandonné négligemment sur le canapé, je soupirai. Autant j'étais maniaque de l'ordre jusqu'à en flirter avec l'obsession, autant lui était bordélique, à dessein, pensai-je, par pure provocation. Mais la voix criarde, surexcitée de l'annonceur de la capsule info du soir qui commençait requérait mon attention. J'eus un frémissement d'angoisse hélas trop familier. Comme toujours, il était question d'un attentat en ouverture des nouvelles. Enfin, au moins ce soir semblait-il n'y en avoir qu'un. C'était déjà bien.

Je fixai les images saccadées, terrifiantes, que l'on nous mitraillait et auxquelles nous ne devions jamais nous habituer. Et qui, donc, fatalement, connaissaient une perpétuelle gradation dans l'horreur. Histoire de nous garder éveillés. J'avais parfois l'impression que l'on nous repassait soir après soir, dans des contextes variables, des séquences à tel point similaires que cela en devenait suspect, mais à vrai dire, qu'est-ce qui ressemblait plus à un pied déchiqueté qu'un autre ? Et qui aurait osé poser des questions à haute voix ?

*L'engin explosif s'est déclenché à la gare d'autobus du centre-ville de Montréal, faisant dix morts et un nombre encore indéterminé de blessés, parmi lesquels plusieurs femmes et enfants. Les lâches infâmes qui ont commis ce geste sont en fuite et activement recherchés…*

Les plans filmés, complaisants dans l'horreur, fixaient de longues secondes les corps pulvérisés, s'attardant presque amoureusement sur le sang collé à l'asphalte, longeant lentement les véhicules éventrés comme des taureaux dans l'arène. Les hurlements des voyageurs traumatisés attaquaient mes tympans, un gros plan sur le visage déchiré d'un vieil homme me hantait… Je détournai un instant les yeux de l'écran, saturé d'hémoglobine et de cris. Mais c'est surtout à lui que je pensais. Je craignais pour lui. Pour lui et, c'est vrai, beaucoup pour moi. Mais où donc était-il passé ? Il allait me rendre fou, ce crétin ! Je replongeai mon regard vers les images, fixant les petits yeux mornes du président du Conseil regroupé des milices. C'était ce qui était attendu de moi. Je me demandais si, comme on le disait, ils avaient réellement les moyens technologiques de déterminer par des capteurs intégrés à nos ordinateurs personnels si nous suivions les messages d'intérêt public obligatoires ou si au contraire nous déviions de la bonne route. J'aurais juré que non. Ces temps-ci, la paranoïa atteignait des sommets dans la population, surtout chez les Juvénals. Ce qui était normal, car, après tout, nous étions aux premières loges…

*Il est de votre devoir à tous de collaborer pour enrayer ce fléau qu'est le terrorisme, qui nous afflige depuis trop longtemps et qui nous force à prendre des mesures toujours plus draconiennes pour protéger nos familles. Nous en appelons plus particulièrement à tous les tandems, vous, les jeunes, avec votre sens de l'observation et du civisme. Vous êtes la clé de la sécurité de tous. Nous vous rappelons que tout comportement suspect doit être rapporté immédiatement…*

De la porte d'entrée et de l'ombre du hall monta soudain une voix aussi basse que celle de l'annonceur était stridente. Une voix familière, narquoise.

— Gna gna gna gna… *Tout comportement suspect doit être rapporté immédiatement sous peine de sanctions.* On la connaît, leur chanson, à cette bande d'imbéciles !

Je soupirai, entre soulagement et irritation. Il était rentré au bercail, enfin. Sans bruit, il avait pénétré dans l'appartement et se tenait dans l'encoignure, magnifique dans sa jeunesse ténébreuse, répétant d'un ton moqueur les injonctions monocordes des autorités. En soi, son attitude était déjà grave. Et en contemplant son front buté sous la masse de ses cheveux bouclés, et ce sourire sans peur, je tremblai de penser qu'il ne s'agissait peut-être là que de la plus mineure de ses transgressions. Depuis des jours, j'avais des doutes. Il fallait que je sache. Il en allait de ma sécurité. De ma vie.

Je coupai l'écran (même si ce n'était pas très prudent) et me tournai vers lui d'un air sévère. Immédiatement, je me fis penser à mon père. Mais c'était plus fort que moi, l'inquiétude était trop intense.

— Où étais-tu ? Je me suis fait un sang d'encre ! Tu es inconscient ou quoi ?

J'essayais de contenir la rage qui, dans ma voix, enterrait à présent l'angoisse. Cet irresponsable savait-il qu'il nous mettait tous les deux en danger ? Pas plus tard que la veille, un tandem avait été emmené par les policiers. J'aurais gagé que jamais nous ne reverrions ces deux-là.

Il se tenait appuyé lâchement au mur, me toisant avec l'arrogance d'un adolescent. Et en fait, il n'en était pas si loin en nombre d'années.

— Allez, arrête ton char, Ben Hur. Tu n'es pas ma mère ni ma blonde.

Je secouai la tête. L'éternelle rengaine, à laquelle j'allais répondre, poursuivant notre chorégraphie devenue aussi prévisible que celle d'un vieux couple :

— Non, heureusement je ne suis ni l'une ni l'autre. Mais je te rappelle que nous formons officiellement un tandem, que nous le voulions ou non. Et tu sais ce que ça veut dire aussi bien que moi. Ce n'est pas moi qui ai choisi de partager mon quotidien avec un jeune irresponsable qui n'a pas assez de plomb dans la cervelle pour reconnaître une situation dangereuse quand il en voit une !

Il ricana, ouvrant la bouche, cette bouche aux lèvres charnues de fille, articulant silencieusement, en écho à mes mots, une habitude insupportable d'écolier insolent. Je l'aurais giflé. Il me fit un clin d'œil, et ses longs cils frôlèrent sa joue veloutée de façon appuyée, avec une coquetterie d'enfant.

— Bon, on fait une trêve ?

Je haussai les épaules. Il était difficile de rester fâché contre un tel gamin. La jeunesse de son sourire avait quelque chose de désarmant.

Il se prit une bière froide (ma bière) dans le frigo horizontal et se laissa choir à mes côtés sur le canapé, ce qui m'irrita au plus haut point. Sa seule présence physique avait le don de me mettre sur les dents. Il siffla d'un coup le contenu de la bouteille, sa pomme d'Adam proéminente montant et descendant de façon presque obscène. Puis il claqua de la langue, repu.

— Allez, arrête de faire la gueule sans arrêt, prends un peu la vie à la légère. Après tout, de nous deux, c'est toi le veinard. Penses-y, tu n'as plus qu'un an à tirer à Juvéna. Moi, eh bien, je suis pris ici pour de longues années encore... à moins que...

Il me toisa avec défi. La phrase en suspens planait entre nous, menaçante, dans le silence de l'appartement. Je frémis, criai presque :

— À moins que quoi ? Qu'est-ce que tu fabriques, maintenant ?

Pourtant, il avait bien raison. J'allais fêter mes vingt-cinq ans en janvier, ce qui me permettrait de quitter la cohorte des tandems et son ghetto pour rejoindre la population générale. J'aurais alors la permission de continuer ma vie, sous surveillance, bien sûr, mais au moins d'avoir enfin le droit de cultiver des relations à long terme avec des gens, de me marier peut-être, de partager mon quotidien avec des êtres aux antipodes de cet ado attardé, en tous les cas. Tandis que lui, avec ses dix-neuf ans rebelles, devrait à mon départ être jumelé à un autre jeune homme jusqu'à ce qu'il ait atteint son quart de siècle, comme tous les mâles. J'aurais dû le plaindre. Mais je n'y parvenais pas. J'avais trop peur.

Il continua:

— Avoue que cette loi sur les tandems, c'est de la belle connerie. Et ça n'a pas arrêté les attentats. Enfin, ça, c'est si on veut bien avaler la bouillie pour les chats qu'ils nous servent sur toutes ces histoires de bombes et de kamikazes. Moi, je n'y crois pas une minute... Bon sang qu'ils devaient être heureux, les jeunes, avant! Libres et tout...

Je fermai les yeux. Avant. Se pouvait-il vraiment que le nouvel ordre national ne soit en place que depuis cinq ans? Il me semblait que l'« avant » se fondait dans un brouillard informe sans souvenirs, délétère, comme si nos vies antérieures avaient été englouties pour devenir ni plus ni moins qu'une fiction, le conte tiré par les cheveux d'une époque perdue, un âge d'or sans trop de violence et sans trop de règles, une belle histoire à raconter et à laquelle seuls des enfants très jeunes pouvaient adhérer.

Quand la Ligue démocratique avait pris les rênes du pouvoir, portée par la peur ambiante dans le sillage de la vague d'attentats qui avait pilonné le pays, nous avions été nombreux à pousser un soupir de soulagement. J'avais moi-même voté pour cette formation de droite au discours musclé, du temps où nous élisions encore nos leaders. Il faut dire que j'avais alors tout juste atteint l'âge de participer au scrutin. Comme tant d'autres, j'avais ressenti au lendemain des élections le réconfort de voir les pouvoirs publics adopter enfin des mesures vigoureuses, à l'échelle du danger qui nous menaçait, qui nous empêchait de sortir sans crainte, d'étudier, d'aimer. La Ligue avait au moins eu le courage de tenter de juguler la violence qui déferlait sur nous, tous ces kamikazes autoradicalisés qui poussaient dans les sous-sols des maisons proprettes des banlieues et dont nous découvrions l'existence dans un bain de sang devenu quotidien, au milieu de cette folie qui se propageait comme un cancer, nourrie d'elle-même, des réseaux sociaux et relayée par les médias de masse, nous condamnant à nous terrer chez nous. Les capitales du monde entier, puis les plus petites villes et chaque communauté la plus infime avaient été frappées tour à tour, parfois plusieurs fois dans le même mois. Le terrorisme, cette hydre dont les têtes se multipliaient à l'infini, nous cernait de ses images. Alors, comme une nation de gentils homards plongés dans l'eau chaude, nous nous étions endormis, bercés par le besoin de gestes rassurants. D'être pris en charge et gavés de certitudes. Quand, un matin, nous nous étions éveillés au fait que la dérive sécuritaire nous avait dépouillés de nos libertés fondamentales, il était trop tard.

Puis, quand les pouvoirs en place avaient brandi l'étude de l'Institut de la statistique traçant le profil type du radical violent, il avait été facile de faire avaler la création des Juvéna et de faire adopter la loi imposant les tandems pour tous les mâles de seize à vingt-cinq ans. Après tout, les chiffres étaient limpides : la radicalisation se dessinait particulièrement chez les jeunes hommes en pleins tourments de l'adolescence. C'était là, laissés à eux-mêmes et aux réseaux sociaux, qu'ils se tournaient vers les idéologies les plus extrêmes et se perdaient au monde civilisé pour plonger dans la violence. À vingt-trois ou vingt-quatre ans, le risque de radicalisation baissait en flèche pour se chiffrer à 0,02 %. Un taux de risque acceptable était atteint à vingt-cinq ans. En jumelant par deux les jeunes hommes, qui auraient l'obligation de se surveiller mutuellement et d'informer le bureau de la Paix publique de la moindre menace de dévoiement observée chez leur partenaire, on pensait prendre les moyens les plus efficaces pour contrer le terrorisme. Non pas que les résultats aient été au rendez-vous, mais qui était là pour le souligner, aujourd'hui ? Les rares voix de l'opposition étaient vite étouffées dans une nouvelle vague d'attentats qui fédérait la population derrière la Loi et l'Ordre.

On aurait dit que Frank lisait dans mes pensées. Il se tourna vers moi, plongeant dans les miens ses immenses yeux sombres.

— C'est assez pervers, quand tu y penses, cette idée de nous accoupler comme des siamois en nous rendant responsables l'un de l'autre, non ?

Pervers, je ne savais pas. Contraignant au maximum, oui. Tomber en tandem, cela voulait dire se faire assortir selon des critères complexes et mystérieux à un autre type avec lequel on n'avait rien en commun, comme dans le cas de Frank et moi. Cela signifiait être retiré de notre milieu familial pour intégrer ces immenses ghettos d'où montaient le soir les voix de jeunes hommes en mal de liberté. Cela voulait dire partager tout, les données internet, le numéro de cellulaire, le courrier, etc. Le principe était d'être un livre ouvert pour l'autre, afin qu'aucune activité ne puisse se faire dans l'ombre. Les dénonciations étaient fréquentes, pas toujours fondées. Mais toujours suivies de représailles sans pitié.

De nouvelles séquences de violence défilaient sur l'écran de notre ordinateur, qui s'était réveillé tout seul et comme par magie du sommeil dans lequel je l'avais imprudemment plongé. Nos quatre yeux fatigués fixèrent de longues minutes les images terribles qui se succédaient à un rythme saccadé. Je n'aurais pas osé le verbaliser, surtout devant Frank, mais je me demandais s'il s'agissait d'authentiques actes terroristes ou si, comme il le pensait, ces images étaient fabriquées dans les cuisines de notre gouvernement pour nous garder tous sagement sous le joug de la peur. Bien brave celui qui osait émettre des doutes ; il disparaissait vite pour ne jamais revenir.

Frank sembla s'éveiller, cligna des yeux.

— Bon, mon vieux, c'est pas tout ça, mais les copains m'attendent. On va danser au Balattou.

— Quoi ? Tu ressors ? Et le couvre-feu, tu en fais quoi ?

Il me décocha un de ces sourires ravageurs qui faisaient fondre les filles.

— Faut vivre, non ? Je ne suis pas un vieux croûton comme toi, mon cher. Il y a un monde, dehors, et même s'il est devenu fou, j'ai l'intention d'en profiter. Tu n'auras qu'à mettre dans ton rapport que j'ai des activités suspectes, tiens, si ça te fait plaisir.

— Arrête tes bêtises.

La porte claqua, avalant mes pauvres paroles. Il avait déjà disparu. Ces maudits rapports que nous devions remettre une fois par mois, ces formulaires détaillés dont quelques lignes pouvaient sceller un jeune destin, comme je les haïssais ! Mais ne pas signaler une activité séditieuse ou même hors norme pouvait signifier la fin. Non pas que j'étais fou de mon existence actuelle. Comme recrue d'un cabinet d'architecture du centre-ville rattaché au ministère de la Sécurité civile, j'avais été affecté au travail d'inspection anti-attentat. Jour après jour, je scrutais les entrailles des structures routières, ponts, viaducs, en quête d'une faille qui aurait pu être exploitée par un candidat au terrorisme. Bien que je n'aie jamais rien détecté, il s'agissait d'une tâche qui réussissait l'exploit de m'assujettir à des gestes routiniers et stressants à la fois, toutes mes actions étant passées au crible de trois couches hiérarchiques. Mais enfin, j'avais malgré tout envie de vivre, même dans ce monde de fous, comme le disait cet écervelé de Frank. Écervelé, ou bien machiavélique ? Cette fois, j'allais en avoir le cœur net.

Je jetai un œil par la fenêtre. La nuit solide me confirma que le couvre-feu imposé aux Juvénals était en vigueur. Tant pis. Je ne pris pas la peine de saisir un chandail. La tiédeur de ce mois de mai était telle que des envies de douceur, de beauté, de balades le long du canal m'assaillirent au sortir, faisant monter des larmes de nostalgie amère dans mes yeux. Je m'essuyai d'une main rageuse. Nulle place pour le sentiment ce soir. Où était passé le gamin ? J'avais au moins un élément d'information. Frank se dirigeait vers le Balattou, ce haut lieu de la musique africaine qui avait aujourd'hui mauvaise presse auprès des autorités. Je savais par certains articles contenant des insinuations que des descentes de police s'y déployaient régulièrement après le couvre-feu. On soupçonnait des réseaux de rebelles de s'y regrouper pour fomenter des actes terribles, lisait-on. Je pensais plutôt qu'il attirait des membres de ces quelques rares poches de résistance encore assez folles pour espérer s'opposer à l'autorité en place et appeler le peuple à un renversement. En tous les cas, s'y montrer n'était jamais une bonne idée.

En ce samedi soir, pourtant, malgré le couvre-feu, l'endroit était bondé et la fête battait son plein. Les corps de dizaines de Juvénals et de jeunes femmes se déhanchaient en mouvements endiablés sur la piste au son rythmé d'une musique reggae. J'eus un instant le sentiment de m'être glissé dans un fossé spatiotemporel pour me retrouver dans un lieu où le plaisir et le bonheur étaient de bon aloi.

Des regards se tournèrent vers moi, à peine curieux. Mâles et femelles étaient pris dans le tourbillon de la danse et du désir. On lisait dans les prunelles que, ce soir, beaucoup iraient trouver un dérivatif aux frustrations de leurs vies de célibataires surveillés dans des étreintes éphémères. Si les relations à long terme entre hommes et femmes étaient proscrites avant vingt-cinq ans, la promiscuité, elle, était encouragée pour calmer les ardeurs agressives des jeunes mâles. L'interdiction de former un couple avant le quart de siècle avait retardé substantiellement l'âge de la procréation ; le vieillissement de la population, déjà bien entamé avant le changement de régime, devenait problématique. Au Parlement, on promettait d'y voir. La menace terroriste était pour le moment la priorité, répétait-on. Pour combien de temps ?

Bientôt, je distinguai la silhouette élancée de Frank parmi les danseurs. Qui mieux que lui pouvait investir la piste de sa présence forte et onduler aussi bien, sensuel, la tête rejetée en arrière, comme immergé dans une réalité qui n'appartenait qu'à lui ? Un frisson indéfinissable me traversa et, malgré moi, je m'abîmai dans la contemplation de ses mouvements fluides, libres. Soudainement, entre deux pièces musicales, je le vis s'éclipser, se glisser, souple, entre les corps moites et se faufiler par une porte plongée dans l'ombre au fond de la salle. Que mijotait-il ? Et que portait-il donc : cette boîte carrée mal dissimulée sous sa veste qu'il avait ramassée près de la porte ? Et qui l'avait déposée là ? Je me frayai un chemin parmi les danseurs et, sur ses talons, j'émergeai par la porte donnant sur la ruelle encombrée de poubelles. Je le suivis, gardant les yeux rivés à son dos mince et musclé comme celui d'un athlète. Une mauvaise sueur coulait à présent le long de mon flanc. Nous étions en violation flagrante des règles, nous pouvions nous faire arrêter n'importe quand. Et ce colis ? Je repensais à toutes ses absences insolites, souvent quelques heures à peine avant qu'un attentat soit rapporté dans un coin ou un autre de la ville. Mais peut-être avais-je une imagination trop fertile, trop empoisonnée par toutes ces images de mort dont on nous mitraillait. J'étais perdu, confus. Triste aussi, sans savoir pourquoi.

Je poursuivis ma filature, jetant sans cesse des regards vers les zones d'obscurité plus intense, m'attendant à voir surgir un agent de la milice en complet sombre. Mais personne ne nous inquiétait. Se pouvait-il, après tout, qu'ils soient moins puissants, moins nombreux que ce que suggéraient les messages publics ? Frank, lui, gardait le cap sans montrer de nervosité, mais marchait d'un pas pressé. Il paraissait inconscient de ma présence. Puis, je compris qu'il se dirigeait vers le nouveau parlement, ce bâtiment horrible de béton et de marbre rose et noir élevé en toute hâte deux ans plus tôt à la gloire de notre nouvel ordre. Le fou ! L'endroit était une véritable ruche de policiers, de soldats et d'autres membres des milices aux mines plus patibulaires les unes que les autres. Armés jusqu'au front. Mais le gamin connaissait son chemin et les habitudes des miliciens en ronde. À quelques mètres l'un de l'autre, dissimulés dans les maigres buissons qui avaient survécu aux travaux nécessaires pour édifier le siège du nouveau gouvernement, nous nous accroupîmes et attendîmes un temps qui me parut interminable. Je ne pensais pas qu'il m'avait repéré, bien que, de temps en temps, il coulât un œil vif par-dessus son épaule dans ma direction. Se pouvait-il qu'il m'eût aperçu ? Nous étions, il est vrai, si habitués l'un à l'autre qu'il semblait que nous devinions nos pensées respectives.

Puis, alors que la blancheur de l'aube entamait son travail de sape sur son ennemie la nuit, je le vis se lever d'un bond, rapide comme un lièvre, et filer dans la semi-obscurité par-delà les grilles entrouvertes. Essayant de ne pas songer aux hommes de garde, je le suivis prestement. Il fonça, et je peinai à le suivre. Bon sang qu'il était en forme ! Avait-il suivi un entraînement ? Le garage des dignitaires, des députés et du gouvernement… il visait le garage ! Comment savait-il qu'une faille béante dans la surveillance se trouvait là ?

Le grand espace était totalement désert. Je le vis s'accroupir sous une limousine Mercedes ébène au nez surdimensionné, puis tirer la fameuse boîte de sa veste. Je retins mon souffle, et quand elle livra le contenu exact auquel je m'attendais, j'eus un mouvement de surprise, malgré tout. J'avais le sentiment d'évoluer dans un cauchemar, une mauvaise fiction dont nous ne pouvions être les protagonistes. L'engin explosif, vu de ma cachette précaire, semblait de facture artisanale. Il s'agissait *grosso modo* de quelques gros bâtons noués ensemble par un fort ruban adhésif et qui devaient tout de même constituer une charge substantielle de dynamite. Je ne distinguai pas de minuterie.

Je suais maintenant à grosses gouttes. Mon cerveau horrifié ne parvenait pas à appréhender la scène. Était-ce possible ? Il comptait se faire sauter en même temps que la bombe ! Sans doute voulait-il frapper un grand coup à l'arrivée des ministres et des députés. Je jetai un œil à ma montre. Le conseil hebdomadaire avait lieu à 8 heures. S'il faisait détonner l'engin au moment propice, il pouvait faire du dégât. Une drôle de sensation, comme une bouffée d'espoir désespéré, m'étreignit.

Sa voix chuchotée jaillit dans ma direction :

— Tu en penses quoi ? Tu vois que tes doutes étaient fondés. De la matière intéressante pour ton prochain rapport…

— Frank…

Il leva les yeux, les fixa dans la pénombre. Magnifique et solennel, dans son ample veste noire, il avait quelque chose d'un chevalier des temps modernes. Je sentais mon cœur broyé dans ma poitrine se débattre, mais je n'aurais su dire quelle émotion l'étreignait. Pourquoi, pourquoi ressentais-je à présent le besoin impérieux de prendre dans mes bras cet enfant courageux qui osait les défier ? Et en mourir ? Incapable de prononcer un mot, je me levai et me faufilai jusqu'à lui. Entre ses jambes, l'œil incandescent de l'engin de mort clignotait. M'appelait. Je murmurai quand même :

— Frank, tu ne peux pas. Ne fais pas ça. Pense à ta vie, à ton avenir. Songe aux innocents…

Dans son regard calme, je ne lisais qu'amitié et détermination. Disparu, le gamin arrogant. Il était plus homme que moi, et je venais de le réaliser.

— Ici, justement, il n'y a pas d'innocents. Ça va frapper fort là où c'est important.

Puis il posa une main d'une étonnante douceur sur mon épaule. La chaleur de sa paume se répandit en moi, faisant jaillir une envie irrépressible de pleurer.

— Donne-moi une seule raison de vouloir vivre dans ce monde-ci ? murmura-t-il.

Cette réflexion, je n'avais jamais été assez désespéré pour me la faire, ou tout au moins pour en admettre la vérité.

Je regardai ses yeux immenses, si graves, si vivants, tentant de ne pas les imaginer déchirés, pulvérisés par la déflagration. Sa fin me semblait à présent aussi insupportable qu'inévitable. Lui, mon partenaire de tandem. Je regardai autour de nous. Le garage était vide, mais pour combien de temps ? Je pouvais encore fuir, retrouver ma vie, pour ce qu'elle valait, pondre un rapport qui arriverait trop tard mais sauverait sans doute ma peau. La tentation de subsister se cherchait un chemin, un peu d'oxygène. Mais toujours la douceur de sa main sur moi me ramenait à ce garage, dont je savais désormais ne plus vouloir sortir sans lui.

— Pars, pars ! chuchota-t-il plus fort.

Sa prunelle plus sombre que les ténèbres luisait comme celle d'un loup. Un instant, j'imaginai la vie sans lui, sans son insolence de gamin mal élevé. Dans le néant et l'obscurantisme.

— Non, Frank, je reste avec toi.

Son regard souriant et tendre m'apprit qu'il n'attendait rien de moins de moi. Il me prit la main.

— Ce ne sera plus long, maintenant. Regarde, le matin est arrivé.

# VI

# Au bout de la plage

J'ouvris la porte un peu avant 7 heures. Le flot de soleil matinal ambre, à la luminosité si typique de l'Algarve, s'engouffra par la petite entrée de la villa surplombant la falaise albâtre, repoussant brutalement la pénombre de la pièce dans ses derniers retranchements. Comme chaque matin depuis le début de ces trois semaines arrachées de haute lutte au travail et à notre pluvieux automne canadien, j'eus le souffle coupé par la vue grandiose sur la plage qui s'étendait en contrebas, large langue de sable doré à cette heure de marée basse et sur laquelle le rempart des formations géologiques toutes en cônes, en anfractuosités et en aspérités blanches et ocre jetait des ombres anarchiques. Le chemin escarpé, à flanc de rocher, zigzaguait de la villa jusqu'à la plage. Il m'appelait pour ma course quotidienne. Dire qu'il faudrait quitter tout cela le lendemain! J'allais m'élancer sur le sentier quand soudain j'avisai un rectangle de papier ligné que le souffle déjà chaud de l'air avait projeté sur le carrelage quand j'avais ouvert la porte. Le ramassant, grognon de cet imprévu qui retardait ma foulée, je reconnus l'écriture appliquée d'Emma et réalisai avec surprise qu'elle m'avait précédé et avait quitté la maison.

Dans ma hâte, je n'avais pas remarqué son départ, pas détecté dans l'atmosphère de la chambre l'absence de ce souffle léger de la dormeuse. Ma femme.

Le message négligemment abandonné me donna quelques indices :

*Chéri, je pars marcher au bout de la plage. Fais ton jogging tranquille ! Profite bien de cette dernière matinée !*

Le tout agrémenté de multiples croix, petits cœurs et autres effusions à la façon débordante et gaie qui était l'une des caractéristiques d'Emma et qui m'avait tant charmé quinze ans plus tôt. Comme elle était craquante, alors, cette jeune professeur d'arts plastiques rencontrée dans un cocktail, fine et brune, avec ce teint pâle si rare de nos jours et cet œil noir, immense, qui semblait receler des promesses d'éternité !

Je froissai le mot et le jetai sur le comptoir avant de m'élancer d'un bond vers la plage, si longue, si infinie que le regard, tentant d'en discerner le bout, se perdait dans l'instable mariage du ciel, du sable et de l'eau, au loin. La mer s'étendait, toute sage, à peine frémissante de vaguelettes dociles, sa surface innocente dissimulant les terribles trous d'eau et leurs tourbillons contre lesquels les locaux, oisifs de touristes en cette saison morte, s'étaient fait un plaisir de nous mettre sévèrement en garde. Je ne me baignais que peu, de toute façon. La course était plutôt mon sport depuis le tournant de la quarantaine, quand j'avais compris que, pour conserver mon physique et ma forme, tout en assurant ma fonction d'administrateur, il fallait y mettre un peu d'effort. Emma, elle, nageait peu et sans doute presque aussi mal que moi, et elle ne s'aventurait guère au-delà du rivage, même si les eaux ici avaient gardé la douceur de l'été, comme s'accrochant à un déjà lointain et nostalgique souvenir.

En frappant de mes tennis le sable humide, je fis jaillir un groupe de goélands ébouriffés. Comme toujours, l'appel de cet espace ouvert et grandiose fit monter en moi un sentiment d'exaltation proche de la jubilation. Tout de même, me dis-je en m'élançant à pleine vitesse sans prendre la peine de m'échauffer, la marche matinière d'Emma était atypique. Elle m'aurait répliqué en riant que je réagissais en psychologue, mon métier initial avant que les sirènes de l'ambition ne me fassent monter en grade. Mais le lève-tôt du couple, c'était moi. Emma se moquait souvent gentiment de mon ardeur, préférant rester au creux de la tiédeur du lit jusqu'à 10 heures ou plus, alanguie comme les femmes aristocrates d'autrefois.

La plage était quasi déserte et m'appartenait aussi loin que mon regard portât. Je cherchai quelque temps la silhouette d'Emma, tentant de repérer ce fameux fichu en soie vert vif moiré d'azur qu'elle avait tenu à acquérir à Faro, dans une boutique pour touristes, et qu'elle ne quittait plus depuis. Mais la blancheur du soleil matinal brouillait ma vue et faisait monter des larmes à mes yeux. Je poursuivis ma course, décidé à profiter de ce dernier matin en Algarve.

La veille au soir, Emma s'était montrée d'humeur mélancolique. Après un bon souper sur notre terrasse au-dessus de la mer et après le troisième porto, sa petite main blanche appuyée contre sa joue, elle s'était même laissée aller aux larmes.

— Pourquoi faut-il que ces vacances se terminent, chéri ? Tout est si parfait ici, toi et moi. Nous nous retrouvons, enfin ; j'ai l'impression de revenir quinze ans en arrière. Une vraie lune de miel. Je voudrais que ça ne finisse jamais !

Je l'avais consolée de mon mieux, moi qui déteste les larmes, je l'avais embrassée comme un parent bécote le bobo d'un enfant, en lui répétant que tout irait bien. Bref, je l'avais emplie de toutes les vagues assurances sans corps que les hommes servent aux femmes trop sensibles dans de telles situations.

L'intensité de cette soirée me donnait ce matin encore la sensation d'une décharge électrique montant dans mes jambes. Je courus plus vite le long de l'eau, toujours en quête d'Emma et de son fichu vert, croisant deux ou trois vieux lestés de tout cet attirail de plage inutile dont les vacanciers pensent avoir absolument besoin. Emma avait raison. Ces vacances portugaises, qui avaient bien failli tomber à l'eau dans la tourmente de la refonte de mon service, avaient eu un goût de seconde lune de miel. Moi-même, j'avais été surpris de voir renaître, dans ce décor beau à en être improbable, la vigueur de notre première passion. J'avais réalisé combien j'avais relégué aux oubliettes du quotidien la fougue charmante de ses baisers, la courbe douce de son cou où venait mourir en un tendre frisottis son abondante chevelure, la profondeur de ses yeux veloutés. Au cœur de la nuit chaude, Emma, c'est vrai, avait su me rappeler ses délices. Vers minuit, j'aurais pu croire que mon corps liquéfié dans la douceur de sa chair n'allait plus en revenir.

Ma course ralentit un peu. Je zigzaguai autour d'une famille de rochers en forme de pains de sucre, une vague inquiétude à l'âme. Où diable était-elle ? Elle n'avait pu marcher bien loin, à moins d'être partie aux aurores. Emma n'avait rien d'une marathonienne. D'ailleurs, cette idée du bout de la plage m'intriguait, je n'en avais personnellement pas touché le fond durant mes longues courses matinales. Je fouillai encore la plage des yeux. Mais nul fichu vert vif à l'horizon. Pas d'Emma.

Je croisai un vieil homme au visage buriné par le soleil, armé d'une canne à pêche dernier cri. Interrogé dans un mélange maladroit de langues, il hocha la tête. Une femme, fin trentaine, très brune, très blanche, un foulard vert. Oui, peut-être.

— Plus loin, plus loin…

Un grand geste de son bras décharné vers la suite de la plage, mes yeux éblouis qui ne distinguaient pas la fin du serpent ocre sinuant le long des éclats marins.

Son émoi de la veille. « Pourquoi faut-il rentrer ? Ici, on est si bien, ici, tu t'intéresses à moi, tu es présent.» Et avec coquetterie, le visage en forme de cœur penché sur le côté : « Et je trouve que tu es beaucoup plus gentil que d'habitude avec ta petite femme.»

Je courus encore, j'accélérai, la sueur surgit, et je ne savais si elle naissait du soleil qui avait entamé sa trajectoire vers le zénith ou du mélange d'irritation et de tendresse que j'éprouvais en évoquant ma femme.

Ces manières enfantines, ces réflexions dont on ne sait si elles relèvent de la naïveté ou du désir de plaire me charmaient jadis. Aujourd'hui, le plus souvent, elles m'exaspéraient. Pourquoi faut-il que les plus chers attributs de l'autre, ceux-là mêmes qui nous ont poussé vers lui, deviennent les instruments les plus féroces de notre lassitude ?

Bien sûr, rien ne pressait Emma de rentrer, de renouer avec la vie ordinaire. Il est vrai qu'elle s'intégrait mieux à un décor de contes. Interchangeable pour quelque suppléante dans son école, elle n'avait pas comme moi le souci de mille litiges à régler, de mille dossiers à mettre à plat. Et puis, il fallait bien que l'un de nous gagne de quoi payer tout cela.

Je commençais à avoir vraiment très chaud, et l'inquiétude de ne pas trouver Emma le disputait à l'agacement. Bon sang, en me forçant à la chercher ainsi, elle s'arrangeait encore pour monopoliser mon attention, pour gâcher cette dernière course en liberté avant le départ!

J'attrapai au passage deux ou trois grappes de touristes attardés, j'échangeai quelques mots avec eux, fichu vert, femme, seule? Et chaque fois, après un temps d'arrêt: « Oui, c'est vrai, on a vu une jeune femme, par là, plus loin, plus loin. » Toujours plus loin.

Alors je courus encore, longtemps, si longtemps que le soleil était maintenant perché droit au-dessus de ma tête et qu'il s'appliquait à darder ses rayons de toutes ses forces sur moi. J'avais soif. Heureusement, le vent d'octobre me soufflait un peu de fraîcheur. La même course en juillet, je serais mort déshydraté. Par sa faute.

Je fulminais. Si Emma croyait préserver de cette façon l'aura de romantisme de ce voyage, elle se trompait drôlement! J'avais surtout une furieuse envie de gifler cette petite idiote qui me faisait perdre mon temps. Je jetai un œil meurtri de lumière en direction de la mer. Je percevais par endroits le courant qui, hésitant, cassait sa danse douce pour devenir tourbillon. C'étaient là les seules traces, discrètes, des zones de danger uniques à cette partie du littoral plus exposée que les autres. La folle ne se serait pas aventurée dans l'eau, tout de même? Si c'était le cas, qu'elle ne compte pas sur moi pour aller la repêcher ! D'abord, je n'en serais pas capable. Mais non, Emma n'était pas de nature hardie. Plutôt timorée, en fait… Elle se reposait sur moi depuis tant d'années pour tout ce qui demandait un brin d'esprit d'aventure : conduite en pays étranger, tractations complexes, se contentant de se laisser organiser comme une enfant.

Une nymphette en monokini marchait seule en sens inverse. Je reluquai du coin de l'œil son pas élastique, son flan doré à la peau souple plein de jeunesse et de promesses, son physique dont la perfection était rehaussée par ce hâle qui serait toujours inaccessible à Emma, dont la complexion laiteuse exigeait de la crème solaire à écran total. La fille ne me regarda pas. Je songeai en la croisant qu'elle ressemblait à Muriel. Contrairement à Emma, je tirerais des satisfactions de notre retour à la vie habituelle. J'eus plus chaud en songeant au corps longiligne de Muriel, à ces jeudis après-midi volés dans une chambre anonyme du Sheraton. La sueur qui glissait de mon front eut soudain le goût de l'angoisse. Se pouvait-il qu'Emma sache ? Pour Muriel, et avant elle Élise, et une ou deux autres ? Je me secouai. Bien sûr que non, le ciel d'adoration que je voyais dans les yeux de ma femme pas plus tard qu'hier soir ne s'obscurcissait d'aucun nuage, je l'aurais juré. Et en fait, Emma était bien trop campée dans les certitudes de son confort pour avoir un quelconque doute…

Je ralentis, épuisé. J'eus envie de tourner les talons et de la planter là, elle et sa maudite plage infinie, de quitter la villa avec mes bagages et la voiture. Elle serait bien arrangée, elle qui de toute façon se refusait à prendre le volant en pays inconnu ! Je m'en voulus un peu de ces pensées cruelles, mais pouvait-on être aussi tarte et disparaître au terme de ce séjour parfait ?

Je jonglai avec le projet, vaguement, trop épuisé pour même tenir une idée cohérente et suivie, avançant presque au pas. Dans le ciel vierge de tout nuage, des sittelles se moquaient de moi en piquant vers l'horizon.

Soudain, je compris que j'avais bel et bien atteint le bout de la plage. Une vieille muraille de pierre coupait en effet la langue de sable, haute de plusieurs mètres et effondrée par endroits, aussi nettement qu'un scalpel, à une centaine de mètres de moi. Je m'approchai de cette ancienne jetée aux trois quarts démolie.

Par les trous béants dans la rocaille, je vis que la suite du littoral n'était qu'un chaos de falaises et de roches escarpées sur lesquelles un nageur et une embarcation se fracasseraient assurément. Le lieu était vide. Personne en vue, et pas d'Emma. J'effectuai un survol visuel de 360 degrés de la zone, tentant de calmer mon pouls encore emballé.

Emma avait dû repartir en sens inverse, mais comment avais-je pu la manquer ?

Tout ce chemin pour rien ! Elle allait m'entendre !

Mon regard balaya distraitement les eaux, plus tourmentées ici que près de mon point d'origine. Des rouleaux hauts comme des navires se développaient au large pour venir livrer leur moisson de mousse sur le sable. Puis je frissonnai. Là-bas, un petit objet de couleur vive flottait, loin, à au moins 200 mètres. Entre deux vagues, je captai sa forme molle et trempée dont l'émeraude clignotait. Bon sang ! Elle était allée à l'eau ! Pire, elle avait choisi ce lieu tourmenté pour nager. Quelle folie !

J'hésitai un instant à affronter les eaux en colère. Je ne distinguais pas la tête d'Emma dans les replis noirs des rouleaux. Peut-être était-il déjà trop tard ! Craintif, je m'élançai dans les tourbillons. L'eau était moins tiède que ne l'avait laissé supposer la chaleur ambiante. Je rageais et j'avais peur. Il était sûrement trop tard, et sinon, comment allais-je la tirer de là, moi, piètre nageur ?

Je progressais peu dans les eaux dont le courant puissant me faisait dériver. Éreinté par ma course, je haletais et hoquetais, avalant au passage de grandes tasses qui brûlaient ma gorge. Il me fallut un temps infini pour parvenir au fichu d'Emma. Ce minuscule linge frêle flottait paresseusement, mais je ne distinguais aucune silhouette. Pourtant, elle n'avait pas pu s'éloigner tant que cela de la rive. La rive, que je scrutai, qui était si loin et si inaccessible.

Mes jambes mortes sentirent le tourbillon d'un trou d'eau les ballotter, les happer, tandis qu'un rouleau déferlait sur moi et m'entraînait sous la surface.

Quand j'émergeai, aveuglé, je sus que je m'étais fourré dans un sacré pétrin. Mes yeux collés de sel se fixaient encore sur la plage, si lointaine que la vieille muraille qui en marquait la fin semblait aussi minuscule qu'un muret. Et devant elle, point infime, à peine visible, une silhouette aux courbes douces, qui agitait une main que je devinai blanche, gaiement, comme en un adieu heureux à quelqu'un qui part pour un long voyage.

Puis un rouleau surpuissant me submergea. Je me débattis un peu. Dans quelques minutes, je n'allais plus avoir la force de lutter contre les courants terribles.

Pouvais-je encore espérer qu'Emma essaierait de venir me chercher ? Le vent, qui charriait vers moi le fantôme d'un rire lointain, me donna la réponse.

# VII

## Fausse note

Ainsi, c'était cela, être amoureux.

Il m'avait fallu quarante-trois ans pour découvrir ce que la meute des vivants tenait pour acquis. Ce que des millénaires d'humanité, de poésie, de peinture et de musique s'étaient évertués à saisir, sans jamais arriver à en rendre l'âme. Sans jamais, en tout cas en ce qui me concernait, parvenir à me toucher, au-delà de l'esthétique des mots, des sons et des images. L'amour. Ces deux petites syllabes molles mourant si vite sur les lèvres et dont jusqu'à récemment j'aurais raillé la mièvrerie. À présent, j'aurais voulu les chanter, mais aussi les fuir. Heureux et perdu. Entre peur et extase.

Par la baie vitrée, un soleil doux de printemps se frayait un chemin des bois tout proches jusque sur sa paupière aux cils clairs, me révélant presque l'œil bleu sous la membrane translucide. Le chalet était silencieux, son cadre ultramoderne figé dans la stupéfaction de ma révélation.

Surtout, ne pas faire de bruit. Ne pas briser l'instant unique. Le tableau de l'amour endormi était fragile, précieux. Plus tard, plus tard, je rejoindrais la ville et l'une de mes deux classes tumultueuses de quelque quatre-vingts étudiants de premier cycle, je surferais tant bien que mal à travers les rires et les sarcasmes échangés par la jeunesse hétéroclite qui traînait entre les murs de l'université. Mais pour l'heure, je m'accrochais à ce moment troublant de perfection. Je ne pouvais cesser de le contempler, cet objet d'un désir nouveau en ce qu'il semblait sans cesse renouvelé, revigoré par son expression même, inépuisable comme une source souterraine, doux et violent.

Comme elle était jeune ! Encore endormie, elle se lovait tout contre moi, son corps tendre des rondeurs de l'enfance niché au creux du duvet de mon lit blanc comme la peau de rousse de sa joue. Mon lit qui n'en revenait pas de la présence dans ses replis de cette fée. Non pas qu'il n'eût jamais connu de corps féminin étranger en son sein. Au fil des années, j'y avais versé quelques femmes en des étreintes aimables, mais éphémères. Très rarement, il s'était agi d'étudiantes, toujours parmi les plus matures, comme elle avec ses vingt-quatre ans. Mais jamais le désir n'avait su survivre au-delà d'une rencontre. Au contraire, les lendemains et plus souvent encore les soirs mêmes avaient charrié le vent sinon du franc dégoût du moins d'un ennui profond, et le sentiment criant d'un manque de sens. Les chairs un temps désirées, si elles ne me faisaient pas carrément horreur, me poussaient à vouloir m'en dissocier le plus vite possible dès l'acte consommé, et leurs textures corrompues par la découverte, comme un colis piégé qui s'autodétruit dès qu'on l'ouvre, ne me laissaient qu'une lourde indifférence, comme une infinie fatigue qui s'abat sur vos épaules, sans qu'on en connaisse la cause ni le remède.

Elle bougea, s'étira dans son sommeil, inconsciente de son importance. Elle seule chassait mes ombres, ces images fulgurantes de deuil, de mort et de violence. Grâce à elle, je me sentais vivant. Vivant comme je ne l'avais pas été depuis treize ans.

J'eus un spasme, presque un sanglot. Une pensée noire m'effleura. Avais-je le droit de l'entraîner dans la pénombre de ma vie, elle, si heureuse et si fraîche ?

Le doigt impérieux de la pendule au mur me tira à point de ma contemplation qui menaçait de tourner à l'angoisse. Si je voulais arriver à l'heure pour mon cours du matin, je n'avais guère de temps à perdre.

La propriété campagnarde héritée de ma mère se situait à une bonne heure de Montréal.

La confiance avec laquelle elle avait accepté de m'y retrouver la première fois m'avait surpris, puis touché, me rappelai-je en frôlant sa Fiat rouge qui dormait comme un petit insecte au flanc de ma Jeep. Et pourtant, quoi d'étonnant ? J'étais son professeur, après tout, un peu plus âgé qu'elle, mais selon un écart sinon raisonnable du moins ne frisant pas le ridicule, une figure crédible, un homme respecté même si je n'étais pas tellement apprécié. Solitaire impénitent, j'avais d'abord dû prendre sur moi pour m'habituer à sa présence impétueuse dans mon univers. Quand sa longue main blanche avait saisi le portrait posé sur ma table de chevet, le poil s'était hérissé sur mon bras. Mais comme le renard du Petit Prince, elle m'avait apprivoisé. Aujourd'hui, je brûlais de lui raconter toute l'histoire. Même si je savais que c'était impossible.

Et elle, m'aimait-elle ? En accélérant dans un tournant de la route ourlée d'érables antiques, je me rendis compte que, depuis les cinq mois que durait notre relation, je ne m'étais jamais posé la question, trop centré que j'étais sur le tumulte neuf qu'elle suscitait en moi.

Tous les signes pointaient vers une réponse positive : son enthousiasme charmant dans nos échanges (moi qui méprisais avant ces amoureux transis scotchés à leurs textos, je m'y étais mis avec frénésie et en étais vite devenu accro) ; ses élans amoureux qui me laissaient parfois éreinté, cassé presque, moi qui me considérais pourtant en pleine forme.

Elle ne me quitta pas de toute ma route. J'avais gardé dans mon blouson de cuir fauve sur lequel elle avait appuyé sa tête la veille l'empreinte de son parfum. Ce devait être l'un de ces patchoulis citronnés bon marché que les jeunes femmes modernes se procurent dans les pharmacies, mais je savais que mes narines et mon cerveau l'associeraient pour toujours au plaisir pur.

Bien sûr, la réalité prosaïque ne tarda pas à me rattraper. Comme d'habitude, j'eus un mal de chien à me stationner le long des trottoirs de la rue Sainte-Catherine. Quelle ville ! Mon chalet et son précieux butin, ma dormeuse, me manquaient déjà. Je rêvai un instant d'une vie d'ermite, avec elle, loin des gens, loin de la nuée. La première sonnerie des cours retentissait déjà quand je passai la grande porte du pavillon Judith-Jasmin, avec cette architecture désuète et les teintes sombres à en pleurer qui ponctuaient mon quotidien depuis plus de quinze ans. Je me hâtai le long du hall, longeant au passage les panneaux surdimensionnés qui, dans une tentative pour fabriquer une histoire à ces lieux qui en possédaient si peu, exposaient aux passants en une mosaïque les photos miniatures des professeurs qui s'étaient succédé entre ces murs. Mes yeux s'arrêtèrent sur un visage. Juste un instant.

Je détournai les yeux, un pincement au cœur. Le vice-recteur de ma faculté, le cinquième en presque autant d'années, marchait dans ma direction, l'air préoccupé. Il avait capté mon regard posé sur les photos au mur et haussa un sourcil interrogateur en me saluant :

— Bonjour. Tout va bien ?

J'acquiesçai brièvement, le saluant de la main et poursuivant mon chemin vers ma classe, me demandant la raison de cet intérêt. Le vice-recteur n'était habituellement pas trop fort sur les civilités, surtout avec moi qui ne l'étais pas plus. Un frisson d'inquiétude me traversa l'échine. Se pouvait-il qu'il sût ? Mais son air perturbé avait sûrement pour cause la visite impromptue de l'unité anticorruption, la semaine d'avant, qui se penchait sur certaines allégations de malversation concernant l'administration précédente. Et, de surcroît, une autre grève étudiante pendait au-dessus de sa tête. Une idylle comme la nôtre devait vraiment être le dernier de ses soucis. Il était vrai qu'en théorie les relations prof-étudiante n'étaient pas vues d'un œil favorable dans le milieu universitaire, mais l'époque où on les interdisait était bel et bien révolue. De plus, on parlait ici de deux adultes consentants. Car elle comptait parmi mes étudiants les plus âgés, ayant déjà obtenu un baccalauréat et un certificat dans une autre discipline avant de s'échouer dans mon cours de première année. Un sentiment de fierté que j'aurais jadis jugé risible m'emplit la poitrine en songeant à sa réussite scolaire. C'était une étudiante brillante, pas comme la majorité de ces médiocres surprotégés qui s'entassaient en troupeau dans mon amphithéâtre et passaient le plus clair du cours à facebooker, à travailler plus fort à fomenter la contestation de la faiblesse de leurs résultats qu'à réussir leur matière.

— Vous venez à la cérémonie de commémoration, ce soir ?

Les petits yeux de furet du vice-recteur se penchaient par la porte entrouverte. Bon sang, il m'avait suivi jusque dans la classe ! La masse des étudiants le fixaient, c'était sûr qu'ils allaient me coller un vote de protestation parce que le cours ne démarrait pas à l'heure.

— Je pense pouvoir me libérer, oui, fis-je trop sèchement, avant de refermer la porte sur lui.

Bon Dieu, qu'il m'avait déstabilisé ! J'avais du mal à me concentrer. Les visages inexpressifs de mes élèves se mélangeaient. La commémoration ! J'avais presque oublié ! Cela allait faire un an. Déjà. Ce qui me rappelait que l'année scolaire passait vite, qu'il fallait que je songe à bouger. Je me mordis les lèvres. Je savais que je n'aurais pas dû répondre aussi méchamment au vice-recteur. Il me fallait montrer de la compassion, après tout. La mort bête et brutale d'un de mes étudiants ne pouvait pas me laisser indifférent, pas plus que la cérémonie soulignant ce triste anniversaire. Il n'y avait pas à tortiller, il fallait que je m'y montre. J'avais prévu la sortir au théâtre, ce soir-là, mais je devais absolument revoir mes plans. Surtout que je sentais que ma froideur passait mal parmi mes collègues ; on me jugeait distant, méprisant, peu sociable. Je n'y pouvais rien, mais il fallait assurer un minimum.

Un son cristallin tinta à ma ceinture. La joie de voir apparaître sur l'écran de mon cellulaire une petite phrase d'elle dissipa mon angoisse. Cela aussi, c'était nouveau, ce bonheur de lire quelques mots simples, banals.

*Je t'aime, chéri, je m'ennuie de toi. On se voit ce soir ? Je suis un peu anxieuse pour les résultats d'examen. On doit les avoir aujourd'hui. J'ai eu pas mal de misère à étudier dernièrement. Je me demande pourquoi, lol.*

C'est vrai que nous étions beaucoup sortis ces derniers temps. Sortis, et rentrés. Le désir d'elle monta en moi, fort à m'en couper les jambes ; pourtant, je soupirai. J'allais devoir lui dire que la cérémonie avait préséance, hélas. Mais avec l'examen final qui avait eu lieu la semaine précédente, elle devait être crevée. Conformément à mes directives, mes correcteurs étaient rigoureux. On me le reprochait, mais j'y tenais. Contrairement aux autres fils et filles à papa, elle ne regimbait jamais devant la sévérité des évaluations. Au début de l'année, j'avais tout de suite constaté qu'elle se démarquait du lot de mes deux groupes. Je jugeais qu'elle était brillante, peut-être exceptionnelle. Sans doute cela n'avait-il pas été étranger à son pouvoir d'attraction sur moi. Mais récemment, elle s'était plainte d'avoir du mal dans ses travaux. J'eus une crainte. Était-elle malade ? La peur pour l'être aimé était aussi du nouveau pour moi. Non, pas nouveau. Relégué aux oubliettes de ma mémoire. Trop douloureux.

La classe était en plein chahut. Ces cuistres-là tiraient avantage de toute faiblesse, comment avais-je pu l'oublier ?

— Du calme. On se concentre sur la matière.

Sans m'énerver, j'avais élevé la voix pour apaiser le vacarme, et le résultat avait été immédiat. Ils avaient beau être jeunes, nombreux, gâtés, il suffisait que je les toise pour imposer le silence et un semblant d'ordre à leurs têtes indisciplinées. On me disait intraitable. Bon prof, mais sans pitié pour les notes. Même dans cette parodie de démocratie ambiante qui tenait plutôt de la dictature estudiantine, j'avais le gros bout du bâton. D'autres, jadis, n'avaient pas eu cette chance…

En tentant de leur inculquer quelques notions susceptibles de les aider à décrocher leur diplôme (car c'était tout ce qui les intéressait, je l'avais compris depuis belle lurette), je laissai mon regard s'attarder sur les uns et les autres, les membres de ce groupe disparate, me demandant qui d'entre eux y passerait cette année, et s'il s'agirait d'un étudiant de ce groupe de quatre-vingt-cinq têtes ou de l'autre, celui dont elle faisait partie. Lequel présenterait les plus piètres résultats aux examens finaux, se plaçant ainsi au sommet de mon palmarès personnel des sacrifiés ? Était-ce ce gros gars à la barbe sans couleur, qui ricanait bêtement en consultant son téléphone de toute évidence bien plus intelligent que lui, au fond de l'amphithéâtre ? Ou cette belle fille aux yeux vides qui avait toujours l'art de poser des questions hors sujet ? Celui que l'on commémorerait ce soir avait été un parfait *ignoramus*, et il avait mérité la mort « accidentelle » que je lui avais concoctée. Oups, un beau dérapage à vélo sous le viaduc de la rue des Carrières, en pleine nuit. Quel dommage ! Si jeune et si ignorant ! Tout aussi triste que la fin tragique l'année d'avant de cette béotienne, dans un « suicide » aux barbituriques qui avait un peu surpris ses proches, même si ses piètres résultats universitaires avaient semblé miner la jeune femme. Ils étaient si fragiles, à cet âge... Remarquez, ce n'était pas le cas de ceux qui avaient eu la peau de ma mère.

Pour ma victime de l'année antérieure, et celles des neuf autres avant, je devais fouiller un certain temps dans ma mémoire afin de retrouver les détails. C'était comme si chaque victime chassait la précédente, l'effaçait. Ces gamins n'avaient en fait pas vraiment d'importance ou d'identité propre. Leur existence futile ne laisserait aucune trace autre qu'une brève satisfaction à l'autel de ma vengeance. Et à la mémoire de ma mère.

C'était sans doute pour cela que je continuais, année après année, choisissant sans aucun compromis, immanquablement, le pire élève, de façon anonyme et rigoureusement juste, puisque les notes de l'examen final me parvenaient par les correcteurs. Pas question de dévier de mes critères, cela m'aurait porté malheur, pensais-je. Et j'aurais dérogé de l'esprit de mon geste. Et trahi ma mère.

*1, 2, 3, cela tombe sur toi ! 4, 5, 6, à toi la cerise... 7, 8, 9, saute du pont Neuf !*

Un accident, une maladie induite par un poison intraçable ou plus simplement une *overdose* d'opioïde ou de bon vieux crack, un autre suicide – le bilan du Québec en la matière était détestable ! Les jeunes d'aujourd'hui, loin de la vie tranquille que nous avions menée à leur âge, essayaient tout, du sport aux drogues. Alors évidemment, les risques étaient démultipliés. Une perte par année sur des classes aussi grandes que les nôtres, cela passait, du moins, jusqu'à maintenant. Dans les armées à l'entraînement, on tolérait six pour cent de pertes humaines. Dans mes cours, ce chiffre était de beaucoup inférieur, pourtant, la classe était bel et bien un champ de bataille sans merci où l'ennemi se cachait derrière chaque visage, chaque sourire narquois. Personne n'avait semblé allumer en plus de douze ans. Il fallait croire que les étudiants imbéciles devenaient des adultes imbéciles.

De plus, comme le choix de la victime découlait de la note finale, les pertes avaient lieu en fin d'année scolaire, quand l'université abordait sa période morte. De quoi éviter que les pairs et les professeurs ne partagent des doutes éventuels. Un système impeccable dont j'étais assez fier, à tel point qu'il m'en coûtait de ne pouvoir m'en ouvrir à quiconque. Pas plus tard que la veille, au cœur de nos caresses, j'avais ressenti l'envie irrépressible de partager mon secret avec elle. Et de lui parler longuement de cette autre femme, celle pour qui je sacrifiais chaque année un élève. Ma mère.

La classe se termina dans le désordre de mes idées éparpillées. Il allait falloir que je commence à songer à la méthode que j'emploierais cette année. Le printemps inhabituellement chaud ouvrait la voie à de belles possibilités, comme la noyade ou la mort en randonnée. Tout dépendrait du client. Les garçons étaient plus prévisibles, plus faciles à pister, leurs habitudes, souvent bien rodées.

Je quittai l'amphithéâtre, non sans me faire bousculer une ou deux fois par les gamins trop pressés de retourner au vide de leurs existences. Je soupirai, marchai le long des halls couleur de vomissure et m'arrêtai devant le tableau des professeurs. Maman était fidèle à son poste, figée dans le temps, elle qui ne dépasserait jamais les cinquante-six ans, l'intensité de ses beaux yeux sombres se démarquant dans la masse des portraits passés. Elle aussi avait été plus vivante que les autres. Mais également plus fragile. Ce cliché remontait à une petite vingtaine d'années, peu avant que je n'entre moi-même dans cette vénérable institution d'enseignement. Elle se trouvait alors au sommet de sa carrière et ne pouvait soupçonner qu'elle ne profiterait plus que pendant quelques années de la joie d'enseigner, avant qu'une fronde vicieuse d'élèves contestant sa rigueur ne la force à la retraite, elle qui ne vivait que pour sa vocation pédagogique.

— Je t'en offrirai bientôt un autre, ma chérie, ne t'en fais pas.

Son image me fixait. J'espérais que, quelque part, elle pouvait m'entendre, qu'elle savait que sa peine était devenue la mienne.

Je la revoyais en ces journées terribles, quand elle rentrait de l'université, son dos mince toujours plus voûté de chagrin, son front jadis lumineux creusé de rides nouvelles, indélébiles. Tandis que sur ses pas je tentais de me faire une place dans ce monde universitaire, je l'avais vue se désintégrer sous mes yeux, elle à la carrière si irréprochable, minée par une cohorte de paresseux qui l'attaquaient sur son intégrité. Tout cela parce qu'ils n'avaient pas le calibre pour réussir son cours. Une pétition avait été déposée contre elle. Elle contenait des mots durs, féroces, qui semblaient avoir résonné partout dans l'université et lui avaient collé à la peau. À l'âme. Si certains de ses collègues étaient venus à sa défense, mollement, l'administration l'avait complètement lâchée. Jeune prof impuissant, j'avais assisté à la désintégration de ma mère. On l'avait poussée vers la sortie sans ménagement, sans même un au revoir et dans un silence gêné. Elle ne s'en était jamais remise. Ils étaient venus en masse, croulant sous les couronnes de lys odorants et les bons sentiments puants, pour communier à ses funérailles. Pour ma part, je savais qui était responsable du fulgurant cancer qui l'avait emportée en un an. Très vite, j'avais compris que la cohorte des *ignoramus* devait payer son dû, sa dîme, à la mémoire de maman. La tâche de collecter me revenait, c'était sans équivoque.

Je repris le chemin du chalet plus fourbu que d'habitude. Il me fallait quelques heures de repos et de réflexion avant d'affronter la cérémonie hommage. L'année scolaire qui s'achèverait sous peu laissait ses traces. Je m'étais assoupi dans le sofa de la véranda, permettant au spectacle de la forêt autour, en pleine renaissance, de m'apaiser, quand le bruit d'un texto entrant me fit sursauter. Avant même de le lire, j'en devinai l'urgence, le son m'ayant paru plus strident, plus vibrant que la normale.

*C'est terrible ! J'ai échoué à mon examen final ! J'ai une note horrible ! Je ne passe pas le cours ! Mon Dieu, qu'est-ce que je vais faire ?*

Je me raidis, plongé dans une stupeur totale. Elle, échouer ? Comment cela était-il possible ? Au début de l'année, elle se plaçait parmi les meilleurs. Il est vrai que, depuis des mois maintenant, ce n'étaient pas ses résultats qui étaient au centre de mon attention… mais tout de même !

Fébrile, j'ouvris mon ordinateur portable et me connectai au portail de l'université, puis à la banque de notes. Ce n'était pas Dieu possible ! J'étais si énervé que j'en oubliai mon mot de passe, et je dus m'y reprendre à plusieurs fois, évitant de peu de me faire bloquer. Effaré par la possibilité qui dressait son faciès grimaçant derrière cette nouvelle, je tremblais. Les traits délicats du visage aimé se brouillaient dans ma tête, superposés à ceux de ma mère, le regard triste et noir mangeant l'œil bleu et vif. Penché sur l'écran de l'ordinateur comme pour en sonder les secrets, je voyais les notes défiler. Bon sang que ces groupes étaient nombreux ! Où était-elle donc ? Un rapide Contrôle-F posa le curseur sur son nom, dont la vue m'émut immédiatement. Le seul nom vivant pour moi dans cette masse honnie d'anonymes, et fallait-il que… ?

Les correcteurs avaient bel et bien consigné les notes finales. J'étais atterré. La sienne était plus que médiocre, elle était catastrophique, frisant à peine les 40 % !

Mes yeux fiévreux parcoururent les listes infinies. Se pouvait-il même qu'elle ait récolté la pire note de l'ensemble des étudiants des deux groupes ? On voyait souvent des résultats finaux de 50 %, parmi ces cancres, et même des 45, des 44 % pouvaient surgir çà et là, car les correcteurs ne faisaient pas de quartier. Mais tomber en dessous de la barre du 40 % relevait de l'exploit ! Une mauvaise sueur coulait le long du col de ma chemise. Comme je m'en voulais ! C'était ma faute aussi, c'était moi qui la monopolisais, l'empressant de sortir, de délaisser ses livres.

Mais c'était vrai. Elle était en effet la dernière parmi mes étudiants. Le cancre en chef de l'année ! La courbe implacable du graphique de l'outil d'analyse me narguait. Un grand froid tomba sur moi. Fallait-il que je me résolve à sacrifier à la première femme de ma vie la deuxième ? Je les imaginais toutes deux, la jeune, la femme mûre, belles statues éternellement réunies dans la mort. J'eus un sursaut de révolte. Impossible !

Impossible d'imaginer cette créature vibrante privée de l'éclat de la vie, du mouvement, de notre passion.

D'ailleurs, elle m'écrivait à l'instant même, faisant chanter la voix grêle de mon téléphone. Ce SMS sonnait comme l'appel de la vie.

*Où es-tu ? J'ai besoin de toi ! Je veux reprendre le cours cet été et le réussir, pour que tu sois fier de moi ! XXXX*

Oh, l'envie folle de la rejoindre, elle qui n'avait pas embrassé le malheur ! Je pouvais moi aussi lui tourner le dos. Arrêter le cycle infernal, peut-être ? Non, c'eût été trahir la morte. Les règles devaient être suivies, mais les paramètres pouvaient évoluer. Je jetai un œil torve aux notes bien classifiées qui apparaissaient à l'écran. Les correcteurs, eux, n'avaient jamais été soumis à mon évaluation, ce n'était pas juste. Il y avait sûrement un cancre parmi eux, pour lui avoir décerné une telle note. Je hochai la tête, satisfait, déjà tourné vers la porte, vers celle que j'irais rejoindre. Je choisirais plus tard qui de mes correcteurs figurerait au palmarès des cancres.

# VIII

# Le dernier jour

Il était là, assis au bout du quai, à contempler le lac encore endormi dans son suaire léger de brume, l'air vague et mélancolique, mais pas réellement triste. Il faut dire qu'il ne savait pas qu'il ne lui restait que quelques heures à vivre. Comme la plupart des humains, il n'avait pas été à l'écoute de ce qui se passait en lui, de son cœur, en l'occurrence, et l'organe aujourd'hui plus usé que la semelle d'un coureur de fond le lâcherait le soir venu, quelque part entre 22 heures et minuit. Boum ! Tout d'un coup, le cœur gonflé de sang dirait stop et entamerait une grève éternelle, laissant une enveloppe charnelle relativement intacte sans autre recours que de mourir, comme par geste de solidarité. Ces bras encore musclés qui avaient tant joué à la balle molle, cette poitrine ample soulevée par une respiration régulière, ces yeux au bleu à peine délavé entameraient à l'unisson l'implacable processus de corruption. Je pouvais l'entendre qui battait faiblement, ce cœur, lui qui préparait sournoisement la fin.

Ce client-là n'était pas si âgé pourtant, son visage ridé était toujours beau, touchant comme une œuvre d'art moderne abandonnée au fond d'un jardin, abîmée par la rouille mais forte de l'intention du créateur. Le problème était courant. L'homme avait trop vécu. Trop couru, trop consommé, trop désiré, et peut-être surtout pas assez aimé. D'ailleurs, une théorie courait parmi nous ; nous avions observé que les êtres qui n'avaient pas investi dans l'autre s'usaient plus vite, dépérissaient plus tôt. Personne dans le groupe n'aurait pu quantifier le phénomène ni lui donner une quelconque valeur objective ou scientifique, pour employer un concept humain. Mais à nous tous, nous avions quand même une certaine habitude du vécu de ces âmes dont nous avions la charge, et nous nous trompions rarement.

L'homme semblait bien. Ses poumons respiraient fort le parfum monochrome du matin, exempt des essences végétales endormies qui en complexifient la texture et qui réservent leurs forces pour mieux se déployer en plein midi, dans l'alambic de la chaleur de mai. Je le jugeai serein sinon heureux. En moi montait une drôle d'envie de le laisser savourer encore ce jour vierge qui jamais plus ne serait. J'avais pour lui une empathie que d'aucuns dans ma bande auraient jugée néfaste, voire hérétique. Eh oui, je savais qu'il fallait enchaîner, le programme était immuable et ne souffrirait aucune dérogation. On ne s'attachait pas aux humains. Par nature même, notre relation avec eux, si on pouvait qualifier ainsi ce rapport unilatéral et éphémère, était vouée à mourir de sa belle mort au bout de quelques heures. Je me concentrai donc et, d'un souffle dont lui n'avait nullement conscience, je conjurai le soleil.

— Lève-toi, gros feignant !

L'astre grognon s'ébroua. Comme à regret, il passa un à un ses rayons en autant de bras de lumière par-dessus la couverture de la ligne d'horizon, dardant des rais d'abord faibles, comme pour permettre à l'homme de s'habituer à la clarté nouvelle, puis plus francs, et chassant au passage les nuées de brouillard qui dissimulaient des huards assoupis. L'homme, dont le regard n'avait jusqu'alors pas quitté les eaux, leva la tête, le souffle coupé par la beauté du spectacle, les déclinaisons subtiles de teintes liquides et solides, entre ciel et eau, le vert tendre des arbres de ce printemps tardif prêt à plonger sous la surface, ce moment exquis où les éléments veulent se fondre en un tout plus grandiose que leur somme. Sur son visage, une larme coula, la perle de ma récompense.

C'était tout à fait réussi, j'avais bien travaillé et lui avais offert comme un bouquet final un spectacle grandiose pour le matin de son dernier jour.

Il faut dire que je n'étais pas un novice. Le tout dernier jour de la vie, pour chaque humain de la création, c'était moi qui m'en occupais. Dès qu'une commande de fin de vie entrait, en général (mais pas toujours) relayée par mes tristes collègues des jours de maladie terminale, j'étais mobilisé. Autant vous dire que je ne chômais pas, que mon rôle dans le groupe des journées humaines était prépondérant. En intensifiant les rayons du soleil, je songeai à la foule de mes amis qui m'enviaient. Ils auraient voulu être celui qui gérait tous les éléments des dernières heures des mortels. J'en connaissais même qui jouaient du coude pour me déboulonner et prendre ma place, comme ce petit intrigant responsable de la 36 554e journée de vie des humains. C'est sûr que lui n'avait pas grand-chose d'autre à faire que d'intriguer. Rares étaient les humains centenaires, donc il avait pas mal moins de travail que, par exemple, le responsable des deuxièmes journées ou celui des premières, un autre poste convoité, celui-là. Sans vouloir me vanter, les copains avaient un peu raison de m'envier. Mon rôle était important. La dernière journée, tragique ou paisible, c'était quand même, on ne se le cachera pas, une apothéose. Le summum. Le clou du spectacle. Il y avait le côté solennel, les rituels, les émotions, quoique pas toujours, remarquez. Dans certains cas, par cohérence avec les jours précédents, j'étais obligé de ne donner au pauvre mourant que des heures de souffrance abjecte, vides et solitaires, en piètre extrême-onction. Inutile de vous indiquer que je détestais ces cas de figure. Dans ces circonstances, j'essayais au moins de faire don au client d'une ultime minute finale consolante, un beau florilège visuel, avec des *flash-backs* de l'enfance et de la jeunesse, parfois même au mépris de toute véracité historique. Un mince prix de consolation, vous me direz. C'est vrai, mais mes moyens sont limités. Enfin, j'ai une conscience professionnelle, et en règle générale je m'arrange pour servir à mes humains un départ vers le grand saut et vers le rien tout en beauté, en lumière.

Vers le rien. Vous sursautez. « Comment ça, le rien ? » vous demandez. Car croyant ou athée, comme tous les autres, vous vous êtes inventé un système, un « après » douillet, ou au moins un vague espoir de... Je ne me trompe pas, n'est-ce pas ? C'est fort triste, mes amis, mais je vous annonce que ce que la suite vous réserve est bel et bien ni plus ni moins que le néant. Dans l'immense ciel tout vide, il n'y a rien qui vaille. En fait, rien de durable, sauf nous, la *gang* des jours qui vous accompagne de votre premier vagissement jusqu'au souffle ultime. Je vois que vous essayez, avec votre entendement limité (sans vouloir vous offenser), de vous imaginer notre groupe, nous, les jours humains, rassemblés quelque part en immense conventum au milieu des nuées. Vous tombez sans doute dans les clichés, vous voyez des hommes à barbe, graves et solennels, qui se concertent sur le destin de votre multitude, depuis la nuit des temps et jusqu'à votre extinction, qui se profile à l'horizon, en passant. Je vous laisse votre interprétation. D'ailleurs, j'ai du travail, un client à accompagner. Or, je ne peux souffrir le boulot mal fait.

Quand je dis que j'ai un client, en fait j'en ai des milliers chaque jour à suivre en même temps, ça tombe comme des mouches, de Mumbai à Montréal et de Paris à Kandahar… surtout à Kandahar… Bref, j'ai des yeux partout. Statistiquement, je suis responsable en moyenne de 159 000 individus par vingt-quatre heures. Et ce nombre augmente sans cesse. On peut dire que je bosse fort. En blaguant, on pourrait même avancer que je gagne durement mon paradis. Ah, je vous vois espérer de nouveau. Mais non, oubliez cela, je me moque. Je vous le répète, il n'y a rien. Zéro, le néant. Le dernier arrêt, c'est moi. Point barre. Et je vous attends. Enfin, ils sont nombreux, mes clients, nombreux ces visages, des jeunes, des canoniques, de touchantes pucelles et de vieux barbons, des puissants et des faibles…

Mais je dois dire que ce client-là, au flanc de son lac, a quelque chose de particulier ou, plus précisément, qu'il me touche d'une manière inhabituelle.

Tandis que je le vois marcher le long de l'eau vers les heures actives de son dernier jour, je m'interroge sur les raisons de cet attachement. Cet être-là n'a pas un destin d'exception. Tous les rapports des jours de sa vie fournis par mes collègues me confirment qu'on parle ici d'un homme moyen, chef d'entreprise assez performant, divorcé, comme la moitié de la planète de nos jours – ah, le travail de ceux qui tombent sur les jours de jugement de séparation et de garde des enfants, je ne l'envie pas ! Oui, c'est vrai, le responsable de la journée numéro 13 356 de sa vie nous a fait le topo de sa faillite, mais il s'est repris ensuite, comme en ont témoigné les résumés officiels des jours 18 360 et plus. Aujourd'hui, il est assez à l'aise pour vivre une retraite agréable et pour se la couler douce dans cette belle propriété des Laurentides.

Sa vie, donc, n'est pas spécialement tragique, en rien comparable par exemple à celle de cette autre cliente que je vois du coin de l'œil et qui achève dans le dénuement total une existence misérable entre petits boulots et dépendance, dans le Bronx. Alors pourquoi m'attarder sur son cas, pourquoi surveiller avec angoisse le doigt des heures qui avance inéluctablement et me désorganise comme jamais, au point que j'en néglige mes autres ouailles ?

Pendant que je cherche, l'homme a eu le temps de fendre du bois dans le pré, à vigoureux coups de hache, sans même que son souffle s'accélère. Et dire qu'il sera foudroyé comme l'un de ces grands arbres qu'il débite ! La mort des hommes est pleine de surprises. Puis il pose son outil pour la dernière fois, se dirige vers le chalet et se laisse tomber dans son fauteuil, face à la baie vitrée. Mais qu'a-t-il maintenant à la main ? On discerne une photo jaunie, un visage délicat de jeune fille aux cheveux auburn. Sa fille. Quelque chose en moi tressaille. Bon sang, mais oui ! Je reconnais ces traits, ce regard un brin perdu ! Je suis physionomiste. Jour 12 572 est venu me porter sa fiche, tout récemment. Cette femme, jeune encore, fera partie de ma fournée de clients des vingt-quatre prochaines heures. Dans la fleur de l'âge, et si malade.

L'homme, absorbé dans la contemplation de cette fille qu'il a reniée en même temps que la mère un soir d'hiver, 1 565 jours plus tôt, sait-il qu'elle se meurt, qu'il ne la précédera dans la tombe que de quelques heures ? Non.

Il a envie de la voir, je le sens à son regard pesant, à son front plissé. Il va se décider à faire le premier pas, à l'appeler, mais comme tous les humains il procrastine. Il a peur qu'elle le rejette, la pauvre ! S'il savait dans l'état où elle est ! Je les connais, ces pères et ces mères devenus étrangers. Leurs raisons sont parfois valables, rarement, mais au fil des jours (au fil de nous, donc), puis des années, ils s'enlisent dans le magma des causes de la dispute, oublient le pourquoi pour ne voir que le comment, l'horizon bouché par l'obstacle toujours plus insurmontable qui les empêche de renouer. Et là, j'angoisse, ou j'enrage, enfin un peu des deux. Car je sais que ce père-là attendra vingt heures avant de se décider à saisir le téléphone et à composer le numéro pourtant jamais oublié. Mais dans vingt heures, hélas, il ne sera plus mon client. Elle, par contre, le sera devenue, et je n'aurai d'autre choix que de livrer à cette femme une dernière journée interminable de tristesse et de regret, sans le baume si puissant de la réparation. Une telle injustice est intolérable, même dans un grand ciel tout vide. Je quitte des yeux mon client, qui semble s'être assoupi devant son lac, la photo à la main, et je regarde la multitude des jours humains, tous mes collègues, bien occupés à leurs tâches. Je soupire, avant de les héler :

— Caucus, les gars !

Bon, je sens qu'il va falloir supplier. Supplier pour qu'une fois, encore juste une, on me l'accorde et que je puisse garder un autre jour, un seul, promis, juré, craché, mon client du bord du lac.

# IX

# Le décret

— Alors, on bouge ? Tu dors ou quoi ?

Le concert furieux des klaxons me fit sursauter. J'appuyai sur l'accélérateur, et la Jeep sauta en avant comme un poulain effrayé. Même si la culture de la conduite s'était considérablement adoucie au cours des dernières années, les automobilistes montréalais comptaient toujours parmi les plus impatients au monde. Comme quoi certaines choses ne changeaient pas…

Le véhicule fila dans la nuit, longeant les rues endormies et leurs bâtisses du centre-ville pelotonnées les unes contre les autres en familles hétéroclites, puis celles plus froidement distantes, plus individualistes avec leurs terrains manucurés, de la banlieue sud. J'appréciais habituellement ces trajets nocturnes entre l'hôtel de ville et ma maison plantée près du fleuve, hiatus de calme, hors du temps et du double poids de mes obligations professionnelles et domestiques. Mais ce soir, le tourment était mon compagnon, un passager qui prenait beaucoup de place. Car je ne pouvais m'empêcher de penser à lui. Je l'imaginais, qui m'attendait, frétillant derrière la porte, mobile malgré son poil gris et son œil déjà liquéfié par l'âge. Il serait aux aguets, cherchant à décoder mon langage corporel, mon sourcil froncé ou au contraire détendu. Je soupirai. Se pouvait-il que ce fût vrai ? Plus que jamais ce soir, j'avais le sentiment de vivre un terrible cauchemar.

Il ne me fallut qu'un gros quart d'heure pour rallier la maison. La journée, ce même trajet pouvait prendre une heure ou plus, avec toutes ces précieuses minutes gaspillées à zigzaguer dans la circulation dense entre les chantiers et les cônes orange. Car même si le nombre de conducteurs avait été effectivement divisé par deux, on eût dit que chaque année les autos étaient plus nombreuses. Un mystère. Là encore, tout était comme avant, quoi qu'affirment mes collègues élus du Conseil consolidé de la grande métropole.

La maison me fit un clin d'œil dans la nuit. Comme ses voisines, elle affichait ce visage cossu et distant qui ne me ressemblait guère. Je garai l'auto dehors, ne voulant pas alerter mon compagnon en déclenchant la porte électrique du garage. Temporisant. Il faudrait pourtant bien que je le lui annonce.

J'ouvris la porte, qui n'était pas fermée à clé. Ce n'était presque plus nécessaire de nos jours. La criminalité, surtout celle accompagnée de violence, avait été réduite à un phénomène marginal, presque une aberration.

— Bonsoir, ma chérie. Ça va ?

Il était là, comme je l'avais prévu, à m'attendre dans la pénombre du hall. Inquiet lui aussi, mais avant tout plein d'un espoir un peu naïf, ce qui me déchira le cœur. Il avait foi en moi, c'était fou ! Le pauvre ! Je le contemplai un instant. Il était encore beau malgré la cinquantaine avancée, grand, toujours, mince depuis qu'il s'était remis en forme. Depuis qu'il avait devant lui une vie de loisir. Mon fidèle compagnon de vie. Trente et un ans déjà. Je revis ce jeune homme superbe qui s'était planté à côté de moi sur le banc de mon cours de science politique en deuxième année d'université. C'est un de ses regards profonds et doux auxquels je trouvais aujourd'hui un reflet légèrement servile qui m'avait conquise à l'époque. Et oui, bien sûr, je l'aimais, de cette tendresse sage qui constitue le devenir obligé des passions de jeunesse. Lui m'adorait, c'était flagrant dans une multitude de manifestations quotidiennes. En fait, il me vouait une admiration sans bornes qui tenait presque du culte, et dont je pouvais lire l'intensité en ce moment même au fond de ses yeux sombres.

C'était puissant. C'était beau.

C'était lourd.

Il avait été un jeune homme hardi, plein de fougue et de volonté. Et puis nous l'avions cassé. Lui, comme les autres.

Je me demandai ce soir encore si les autres femmes en couple depuis plusieurs décennies, ou du moins depuis avant le vaste changement, ressentaient cette même ambivalence. Et si la nouvelle donne ne venait pas teinter la nature de nos amours en en bouleversant implacablement l'équilibre des forces. Pour s'aimer de façon durable, au-delà de l'éphémère plaisir sexuel, ne fallait-il pas ressentir une admiration mutuelle ? Un rapport égalitaire n'était-il pas une condition nécessaire sinon suffisante ? Certaines des plus orthodoxes de mes collègues auraient fait remonter ce type de considérations à la source d'une culture machiste antédiluvienne, l'assimilant au fruit pourri de siècles d'intox.

— Et puis ? Le vote est passé ?

Il s'était avancé pour m'étreindre brièvement, fébrile comme un fox-terrier. Je lui donnai mon manteau, qu'il pendit avec soin à la patère en brossant la laine d'un geste empreint de respect pour en chasser la rosée du soir, comme il eût flatté le poil de quelque animal magique.

Je lui pris la main avec douceur et le conduisis jusqu'à notre grand salon où un feu joyeux embaumait l'atmosphère, mêlant les senteurs âcres du bois à celles, plus sentimentales, d'une tarte aux pommes cuisant au four. Il n'y avait pas de doute, cet homme-là était un succès. Il avait su négocier le virage social et me créer un univers domestique agréable. Cela aurait dû faire une différence, non ? Il semblait bien que non. Je le fis asseoir à mes côtés sur le canapé et déglutis avec difficulté.

— Je suis désolée, mon chéri, le décret a été adopté à l'unanimité. J'ai tenté tout ce que j'ai pu. Mais rien à faire. Et, comme tu le sais, je ne pouvais pas, en tant que vice-présidente du conseil, afficher ma dissidence.

Ses traits encore élégants et sensibles s'étaient décomposés sous mes yeux.

— Mon Dieu ! C'est terrible ! Horrible ! Qu'allons-nous faire ?

Je le pris dans mes bras, recevant sa détresse et le berçant en retour avec résignation. Qu'allions-nous faire, en effet ? Il n'y avait pas de réponses, du moins pas la réponse qu'il attendait. Comment aurions-nous pu nous dérober au décret adopté par une administration dont je faisais partie, et dont, si je ne soutenais pas forcément toutes les positions, je ne pouvais que me montrer ouvertement solidaire ? Le gyné-bureau faisait toujours front commun, la solidarité était un principe inviolable, qui assurait notre survie à tous. Et puis après tout, c'était quand même la suite logique, la conséquence directe de la catastrophe née de leur folie à eux, les hommes. Même si mon spécimen personnel se montrait sous tous rapports un être pacifique et bien domestiqué, il ne fallait jamais oublier, comme on nous le rappelait dans les séances d'information mensuelles, que la pulsion de violence, de destruction, bref celle du tueur inhérente au sexe masculin n'était jamais loin. Ontologiquement, le mâle était mauvais, autodestructeur. Un pauvre Prométhée entraînant le monde dans sa chute et qu'il fallait garder de lui-même.

L'histoire récente parlait éloquemment en faveur de cette thèse aujourd'hui acceptée de tous. Quand le monde, mis à feu et à sang, sapé par des décennies d'attentats, avait eu épuisé toutes les pistes de solutions pour tenter de remettre de l'ordre dans le chaos et la destruction, quand les tentatives de conciliation entre dirigeants (masculins) des grandes nations s'étaient soldées par un bain de sang diplomatique planétaire (surtout dû à l'influence terrible d'un foudre de guerre instable mis au pouvoir par les hommes blancs en colère de l'Amérique), et quand, à notre échelle québécoise, des initiatives de contrôle de la guerre et ses mille guérillas locales avaient fait chou blanc (y compris la désastreuse opération Tandem), la lumière s'était enfin faite dans les esprits. Lentement, oh, si lentement. Mais quand la population de San Diego avait littéralement été annihilée par une pluie de missiles, même les plus récalcitrants s'étaient rendus à l'évidence. Le problème, ne coupons pas les cheveux en quatre, c'étaient les hommes. Les satanés hommes et leur testostérone. Quand avions-nous jamais vu de guerre menée par une femme ? La violence au féminin était rarissime, anecdotique. Ses quelques maigres manifestations historiques avaient aisément été ramenées par nos chercheures modernes à des causes purement masculines, à des influences empoisonnées qui avaient agi sur des individus de sexe féminin particulièrement fragiles.

Six ans plus tôt, le Conseil des nations contre la haine avait finalement promulgué le retrait du droit de vote aux citoyens de sexe masculin de tous les pays.

Ceux-ci, étonnamment, s'étaient en général rangés aux côtés des citoyennes dans ce qu'il fallait bien qualifier de révolution. Il faut dire que les femmes étaient désormais bien plus nombreuses et bien plus instruites. Mon homme et tous les autres avaient accepté de renoncer à jouer le rôle de citoyens à part entière pour assumer un rôle de soutien, très utile, ainsi que nous le leur rappelions périodiquement. À l'époque, il avait été souligné à gros traits que la mesure était temporaire. Le temps de remettre du calme dans le monde, de nettoyer les débris et de remettre la paix au cœur de nos vies. Personnellement, j'avais mes doutes. Le massacre ne pouvait plus durer. Les hommes eux-mêmes avaient réalisé qu'il en allait de l'avenir de la race humaine. Les puissances mondiales s'étaient ralliées une à une. Les femmes devaient avoir le monopole du pouvoir, le contrôle des postes clés de toutes les sphères d'activité. Les débats avaient duré des années, douloureux, féroces même. Mais, à la fin, les hommes avaient rendu les armes. Il était temps d'inaugurer une ère plus pacifique. L'ère des femmes. Pour le bien de tous.

Évidemment, il y avait eu des poches de résistance, mais comme les forces armées de tous les pays avaient été investies par des colonelles rompues aux meilleures tactiques et pourvues d'équipement militaire de pointe, la plupart des bastions masculins retranchés dans les campagnes et autres maquis du monde entier avaient été éliminés, leurs membres emprisonnés. Moi-même, comme députée du gyné-bureau de la grande métropole, j'avais participé au démantèlement d'un groupuscule particulièrement virulent qui nichait à quelques centaines de kilomètres seulement de Montréal. On m'avait envoyée négocier avec leur chef, terré avec sa poignée de barbares hirsutes au sommet des Laurentides, parmi les neiges éternelles. J'eus une bouffée de chaleur étrange, incongrue, en revoyant le regard d'acier de cet homme, inflexible, buté, prisonnier de toute cette testostérone qui l'aveuglait et l'empêchait d'entendre raison. Ne comprenait-il pas que la paix était revenue ? Et que la plupart des hommes semblaient heureux de leur nouvelle vie ? Ils ne travaillaient plus, sauf exception, et n'avaient plus le droit de conduire (la mortalité sur les routes, du coup, était proche de zéro). Mais ils savouraient le bonheur d'épauler leurs compagnes. Car on ne les laissait pas célibataires. De l'opération Tandem, nous avions au moins retenu un élément positif : un être fragile devait être accouplé à un plus fort, qui pourrait assurer une surveillance de tous les instants. L'injection mensuelle de contrepoids hormonal que recevaient les hommes était désormais sans risque (ce qui n'avait pas été le cas au début, mais on ne faisait pas d'omelette sans casser d'œufs) et calmait les pulsions potentielles.

Mais le chef rebelle, lui, ne s'était pas rendu, me rappelai-je. À mes arguments rationnels il avait opposé la passion de la liberté. La passion tout court ? Dire qu'il croupissait encore dans sa montagne glacée en attendant la rafle qui ne saurait tarder ! Un frisson, entre dégoût et plaisir, me traversa l'échine. Je revoyais ses grandes mains, ce torse puissant comme celui d'un bœuf. Ses yeux qui me perçaient jusqu'au ventre. Si fruste et si sûr de lui. Si insoumis.

Mais, pour l'heure, il y avait urgence. Je reportai mon regard sur mon vieux compagnon, qui guettait la moindre de mes réactions.

— Vous avez réellement décidé que tous les hommes de plus de cinquante-cinq ans seraient stérilisés ? Tu as accepté ça ? Vraiment ? En quoi est-ce que c'est nécessaire ?

Je hochai la tête. Il ne savait pas tout, mais c'était sans doute mieux. Son entendement limité d'homme n'aurait pas supporté la vérité. La question de ce décret, il est vrai, avait créé une brève controverse. La politique de stérilisation des hommes en andropause était déjà appliquée dans la plupart des juridictions. Montréal, dans les faits, avait tardé à emboîter le pas, certaines des femmes membres du gouvernement regimbant à l'idée, sans doute influencées par leurs conjoints. À un point tel que la métropole s'était attiré les foudres des instances nord-américaines pour son manque de volonté. C'est sûr que les preuves scientifiques allaient dans le sens d'une telle mesure. Vers la mi-cinquantaine, la qualité du sperme des mâles déclinait radicalement, le corps – abusé par une vie de mauvaise alimentation et plus largement par une hygiène de vie déplorable – rendant les armes sur plusieurs plans.

La castration avait bien des avantages. Elle dispensait des injections de rééquilibrage hormonal si coûteuses à l'État. Mais, à vrai dire, les pouvoirs publics dénichaient, me semblait-il, des prétextes assez minces pour ôter la capacité de reproduction au plus grand nombre de mâles possibles. Des rumeurs de femmes fuyant avec leur conjoint pour rejoindre les rangs des rebelles ne laissaient pas d'inquiéter, même s'il s'agissait bien sûr d'une exagération. Imaginez ces femmes partant avec ces conjoints vieillissants mais encore capables de se reproduire ! Et de pondre à leur tour des rebelles en puissance ! Quelle femme choisirait d'abdiquer une vie pleine et civilisée pour revenir à l'âge de pierre ? On disait en chuchotant que c'était surtout chez les femmes plus mûres et plus instruites que se dessinait ce mouvement. En castrant les hommes vieux, on s'assurait au moins de limiter les dégâts.

En ce qui me concernait, j'étais partagée sur la première version du décret. Une partie de moi se révoltait de savoir que mon compagnon de vie devrait subir une intervention irréversible, quoique sans douleur. Mais, en même temps, on se devait d'aller vers le progrès. Et puis, me dis-je en contemplant mon conjoint dont les yeux s'étaient remplis de larmes, que restait-il vraiment de masculin dans cette créature asservie qui, dans quelques minutes et malgré la sentence prononcée contre lui, allait me servir avec résignation le souper avant de m'offrir un si prévisible dessert au lit ? La sensation inoubliable des mains viriles du chef rebelle sur moi fit monter une rougeur à mon front. Il était là-bas, quelque part, cet homme sans avenir que je ne pouvais oublier, défiant la planète entière…

— J'imagine que nous devons aller à la clinique rapidement ?

Je levai la tête, sonnée. C'était incroyable. Mon vieux compagnon avait déjà assimilé la nouvelle. Le temps de mes divagations, il avait intégré et accepté son sort, comme un veau à l'abattoir ! Pourquoi ne se révoltait-il pas, ne remettait-il pas en cause l'ordre établi qui lui signifiait la fin de sa vie reproductive, sans compter autre chose qu'il découvrirait bien assez tôt ?

Cet homme, qui avait jadis été un universitaire brillant habilité à forger les cerveaux des leaders de demain, avait été réduit par le nouvel ordre, mon nouvel ordre, à cet état de chien servile. Alors que dans les bois des êtres imparfaits, oui, violents, mais libres et intacts, demeuraient debout.

Je lui caressai la tête. Il ne saurait jamais que sa passivité avait fait pencher la balance. Car j'aurais pu, moi aussi, tenter l'impossible et prendre le maquis avec lui, essayer une vie à deux, clandestine, mais une vraie vie à deux. Si j'avais senti chez lui cette énergie vitale… Mais il fallait se rendre à l'évidence, même si ce n'était pas sa faute, il ne faisait pas le poids. Il n'avait plus de désirs, plus de ressorts. Je soupirai. Trente et un ans, après tout, c'était déjà beaucoup.

— Oui, mon chéri, nous allons à la clinique dès demain. Ton rendez-vous est pris. Je t'accompagnerai, ne t'en fais pas, tu ne sentiras rien…

Il hocha la tête, résigné. En modèle parfait de cette société nouvelle.

— Allons souper. Que m'as-tu préparé ?

Je ne jugeai pas bon de lui préciser que le décret adopté la veille avait subi quelques transformations. Qu'il avait été « bonifié », pour reprendre le mot de la présidente. J'avais été plus ou moins d'accord, mais le vent qui agitait les arbres dans le jardin de l'hôtel de ville avait charrié des promesses de Laurentides et de neiges éternelles. De toute façon, je n'avais eu d'autre solution que de me rallier à la majorité, et le décret amendé avait été adopté, ses mots imprimés sur un luxueux papier en de courts communiqués qui seraient distribués à la presse.

C'était comme cela. Enfin, on me disait que l'euthanasie mise au point pour les hommes andropausés en vertu du décret se faisait absolument sans aucune douleur… C'était tout de même bien pensé. Pensé par des cerveaux de femmes…

# X

# Soir de cailles

Comme tous les soirs, je l'attends. Comme tous les soirs, j'ignore quand surgira dans la cour le nez carré de sa vieille Volvo au flanc pommelé tel celui d'un cheval. Avec sa brusquerie habituelle dont elle pense qu'elle lui donne un air moderne, elle arrêtera l'auto net, juste sous les fenêtres, dans un crissement strident et un jet de gravier. Comme si elle avait un instant songé à poursuivre sur sa lancée et à défoncer les murs de notre vieille maison. Elle en sortira sa jambe gainée de soie, s'imaginant sans doute un public ravi, secouera son opulente chevelure blonde qui allumera une flamme dorée dans la campagne monochrome. Son nez retroussé encore juvénile malgré la quarantaine humera les relents sucrés dans l'air, lentement, avec des mines de chat satisfait. Elle prendra tout son temps avant de se diriger vers moi, qui l'attends. Jamais elle ne jugera bon de me prévenir de son retour imminent (rarement) ou tardif (presque toujours). C'est vrai qu'elle travaille fort, là-bas, et qu'ils la veulent tous, dans les réunions, les congrès... ou ailleurs. Elle pourrait pourtant sans souci m'envoyer un petit texto tout simple, elle qui ne s'aventure hors de notre terroir pour joindre la jungle urbaine que bardée de son armure technologique, y compris le plus intelligent des téléphones. Mais non. C'est à d'autres qu'elle réserve l'honneur de les informer de ses allées et venues.

L'autre jour, après l'avoir guettée jusqu'à tomber de sommeil, je lui ai glissé une remarque, à peine un léger reproche. Son long regard bleu s'est posé sur moi avec une telle froideur, une telle distance, comme s'il niait jusqu'à mon existence, que j'ai juré de ne plus jamais rien dire. Car je l'aime, que voulez-vous ? Elle est au centre de ma vie. Et je lui passe tout. Ses mille défauts auraient dû depuis longtemps me détourner d'elle. C'est tout le contraire. Certains la disent narcissique, manipulatrice, et toxique. Ils ont raison. J'ai plusieurs fois validé ce profil psychologique dans le *DSM-5* à la bibliothèque de l'école. Il correspond en tout point, il n'y a pas de doute. Et alors ? Est-ce qu'on n'aime que ce qui est bon et pur ? Et qui sait si la Joconde était un modèle d'équilibre et de bonté ?

Ce soir, le ciel d'octobre, piqué de nuées éparses et d'oiseaux migrateurs, est un *tie-dye* trempé dans une douceur exceptionnelle pour la saison. Un Dexter énervé sur mes talons, je marche jusqu'à l'orée du bois. Je veux ramasser à la main quelques rameaux de ces essences puissantes qui vont enrichir le feu de cheminée de senteurs forestières qu'elle aime tant. J'en rapporterai un gros fagot, même si le poids me fait chanceler. Je veux que tout soit parfait pour elle. Qu'elle comprenne que personne, mieux que moi, ne sait décoder ses désirs et accepter ses dégoûts, que personne mieux que moi ne lit dans ses pensées ni n'accueille sa mélancolie, ses bouderies, son humeur de l'heure, de la minute.

La nuit recouvre maintenant la maison et les champs alentour. Malgré la tiédeur qui s'attarde et charrie des souvenirs d'été, j'ai allumé le feu, conservant les sarments sauvages pour plus tard comme la lionne réserve les meilleurs morceaux à son seigneur. La table a été dressée avec soin pour nous deux sur la nappe de grand-mère. Un haut verre à pied de cristal pour elle, un gobelet pour moi. Dans le décanteur sommeille un bourgogne vautré dans sa robe de velours cramoisi. Son préféré. J'ai mitonné des cailles aux morilles, avec l'aide d'un site de recettes faciles. Je veux que tout soit parfait. Dexter sommeille à mes pieds tandis que j'essaie en vain de lire des extraits de mon épais manuel devant le feu. Mes yeux remontent sans cesse à ce portrait d'elle qui me domine de son poste sur le manteau de la cheminée. Comme toujours, je m'abîme dans la contemplation de cet ovale que l'on ne retrouve vraiment qu'au front de fresques jalousement conservées en des palais florentins, avec l'inclinaison aristocratique du cou, la boucle claire et mouvante du cheveu et la délicatesse du sourcil. Elle est belle. Elle le sait.

L'oreille veloutée de Dexter a perçu son arrivée avant moi. Le tumulte de mon cœur qui bat soudain plus vite, trop vite, m'empêche d'entendre le bruit de ses talons aiguilles sur les cailloux du sentier. La porte s'ouvre à la volée et laisse entrer ma déesse.

— Te voilà !

Je m'élance pour me jeter à son cou, bravant le risque d'un rejet (« Tu vas froisser mon manteau, attention ! »), quand je hoquette. Elle n'est pas seule. Derrière sa mince silhouette s'en profile une deuxième, plus haute et plus massive, qui la domine dans l'ombre du vestibule. Non, ce n'est pas vrai, elle ne m'en a pas ramené un autre ? La bile du désespoir monte dans ma gorge nouée, déjà des larmes rageuses que je ne parviens pas à refouler luttent pour s'échapper de mes paupières. Pulvérisée, la perspective divine d'une soirée en tête à tête, à parler de tout et de rien, elle à faire semblant de s'intéresser à ma journée, moi à tenter de dénicher des anecdotes susceptibles de capter son écoute et de la faire rire !

— Je te présente Max, il va souper avec nous. Ça ne te dérange pas, hein ? On a si peu de compagnie ici...

Je rage et j'écume. Comment peut-elle encore me faire le coup ? Je secoue la tête, ravalant ma colère tant bien que mal, et je toise le gars, qui me salue d'un grognement. Ce type a la stature et l'allure d'un barbare germanique, un air buté et la mâchoire carrée. Bref, tout ce qui semble correspondre à son goût pour ces hommes à la virilité si flagrante qu'elle en est caricaturale. Pourquoi les intellectuelles aiment-elles tant les machos basiques ? C'est un mystère.

— Tu as fait tes devoirs, ma chérie ?

Je grince des dents. Je ne suis plus un bébé. Je vais avoir treize ans, et je suis première de ma classe. Je lis les philosophes dans le texte, l'algèbre n'a pas de secret pour moi. Je connais la vie. *Grosso modo*, pendant que madame travaille en paix, c'est moi qui tiens la maison. Mais voilà, quand elle se sent prise en défaut, elle se rabat sur des mécanismes factices, elle joue à la bonne petite maman. Quand elle ne m'envoie pas carrément balader. Là, elle a choisi de minauder. Tête penchée, gazouillis de jeune fille. Pa-thé-ti-que ! Pas pour épater ce mec, qui se fiche pas mal de savoir s'il a emballé la gagnante du prix de la Mère de l'année, j'en suis sûre. Oh qu'elle m'exaspère ! Je bafferais bien son joli minois d'hypocrite !

— Tu nous rajoutes un couvert, ma chérie ? Et sors de la bière, Max n'aime pas le vin rouge.

Je m'exécute en maugréant. Encore un plouc qui boit de la pisse d'âne et lève le nez sur les grands crus. En plus, je suis déjà dans mon pyjama à pattes qui me donne l'air d'un enfant. Avec cet étranger dans la maison, de quoi j'ai l'air ? Et puis elle qui me donne du « ma chérie » !

Ça, c'est un autre truc qui me hérisse. Elle ne me badigeonne de ces mots doux débiles qu'en présence d'un tiers. Sinon, c'est plutôt la reine des glaces. Il me semble pourtant, dans mon souvenir, qu'elle n'a pas toujours été ainsi, du genre *Mommy Dearest* de l'enfer… Parfois, dans ces rares instants où nous nous retrouvons en paix, nous deux, autour d'un livre ou d'un film, je capte dans son œil pervenche un alanguissement fugitif, l'ombre d'une tendresse maternelle réelle, qui, par sa promesse trompeuse de lendemains plus aimants, me chamboule. Elle a bien dû m'aimer, au moins un peu, moi qui suis sortie d'elle, même si je lui ressemble si peu ? Peut-être était-ce jadis, quand je n'étais qu'une petite fille à la volonté de pâte à modeler et au physique indéfini qui ne menaçait pas encore son hégémonie. Je l'espère, sinon c'est trop triste. Car, en fait, qui d'autre y a-t-il à part elle ?

Mais ce soir, il n'est nullement question d'intimité mère-fille. Elle est (de nouveau) en chasse. C'est lui qui l'intéresse. Son corps, son… Elle doit déjà imaginer ses grosses mains blanches partout sur elle, c'est dégueulasse. Pourquoi a-t-elle besoin de ces rencontres brutales et vulgaires, pourquoi est-elle ainsi assujettie à ses bas instincts, réduite devant tous ces idiots à l'état de femelle en chaleur ? Est-ce qu'un jour moi aussi je me verrai ravalée à cette condition ? Jamais ! Au grand jamais !

Nous nous mettons à table. Le type plonge dans le plat, faisant crisser la porcelaine fragile de Mémé sous sa fourchette impatiente. Il engloutit de sa bouche aux lèvres charnues la chair délicate de mes cailles, ces cailles cuites avec amour pour *elle*. À chaque déglutition, chaque claquement de la langue satisfait, j'ai envie de vomir. En revanche, je dois lui concéder une chose : il ne tente pas comme d'autres avant lui de me gagner à sa cause, de montrer patte blanche à la façon pitoyable de certains de ces courtisans d'un soir qui pensent plus sage d'amadouer la fille pour allonger la mère. Non, lui ne me jette pas même un regard. Il engouffre des bouchées énormes de *mes* mets sans quitter *ma* mère des yeux, comme si les fines volailles n'étaient que le hors-d'œuvre négligeable d'un festin plus substantiel. Je reste là en silence, mangeant à peine. Elle discute gaiement, lui lance des œillades. Elle ne voit pas ma rage ou l'ignore. J'espère en vain qu'elle va remarquer mon manque d'appétit, s'inquiéter, me questionner, le renvoyer chez lui peut-être pour s'occuper de moi. On peut toujours fabuler ! Le contenu de mon assiette pleine finit à la poubelle dans l'indifférence totale. Dès que je peux, je quitte la table.

— Je vais faire la vaisselle.

— Merci, ma chérie. Bonne nuit.

Le message est clair. Débarrasse, la gamine !

En faisant claquer les couverts dans l'eau mousseuse, je sais que j'ai perdu la bataille ce soir encore. Me tournant à demi, je les vois installés dans le fauteuil qui était celui de Pépé (il doit se retourner dans sa tombe !), elle vautrée sur lui, totalement abandonnée, son profil parfait découpé par la flamme du foyer en une figure magnifique dans sa dissolution. Le cœur lourd, je ne peux m'empêcher de la trouver splendide dans sa déchéance. Son corps alangui sur l'étranger me rappelle de manière incongrue celui de ces statues que nous avons contemplées à Rome et à Athènes. Une sorte de Pietà perverse.

La suite est tristement prévisible. Ils vont attendre tant bien que mal que je me couche pour se retirer dans la chambre principale et violer ce sanctuaire où je me réfugie à ses côtés certains soirs de cauchemars. De ma chambre isolée dans l'aile opposée de la maison, je percevrai leurs amours innommables. Captive des échos de leurs ébats !

Mais ce soir, une dureté nouvelle monte en moi. Une résolution de vengeance qui jaillit, forte, irrépressible. Ce n'est pas vrai qu'elle va m'imposer ça ce soir encore, et Dieu sait combien de fois ensuite ! Je ne suis pas démunie comme le cadavre de cette caille que j'emballe dans du cellophane avant de le coucher pour un repas futur sur une tablette du réfrigérateur. Non. Ce soir, je dis « stop ».

Rangeant soigneusement les assiettes et les verres, je jongle. Dans moins de deux heures ils seront endormis, soûls de luxure, la senteur forte de leurs corps flottant dans l'air de la chambre. La logique voudrait que je la supprime, elle. Je réglerais la question une fois pour toutes. Mais je sais que c'est impossible. Impensable.

Je l'ai dit, je l'aime. Son beau visage s'impose à mon esprit, comment pourrais-je me passer d'elle ? *Am, stram, gram, pique et pique et colégram…* Je m'essuie les mains sur le torchon à carreaux que je mets à sécher. Non, c'est décidé, ce sera le butor qui va y goûter. Lui, puis tous les autres qui suivront, s'il le faut. Il me semble avoir lu quelque part que les mères narcissiques et nymphomanes engendrent des enfants psychopathes. Une information intéressante à vérifier dans le *DSM-5* à la bibliothèque, me dis-je en affûtant le plus grand de nos couteaux de cuisine.

# XI

# Partagé

L'étoile qui file dans le ciel laiteux de constellations n'est même pas la plus grosse ou la plus parfaite, certainement pas la plus brillante. Elle passe, presque anodine, si ce n'est son mouvement unique dans l'air de septembre figé, traversant la galaxie de son clignotement jaunâtre comme le clin d'œil de lumières de Noël bon marché. Elle transperce la Grande Ourse, puis la Petite Ourse. Ma Petite Ourse. Celle que me montrait Pépé chaque soir ou presque pendant que Mémé faisait claquer la vaisselle dans l'évier et que les lucioles bandaient leurs forces en prévision d'une autre orgie de lumière, une dernière salve avant que le gel ne vienne éteindre la chandelle de leur existence minuscule de ses doigts roides. Roides, comme les corps de ceux qui sont partis. Je pense à Pépé et à Mémé, que je sais tout seuls dans leur tombe neuve, sous la mousse à l'odeur âcre, parfum d'une vie qui veut monter encore mais s'étouffe sous terre, son bail achevé lui interdisant le viatique. « On ne peut pas être et avoir été », disait souvent Mémé. Ils sont tous les deux là-bas, dans ce cimetière dont je devine la silhouette carrée et qui exhale, les soirées chaudes, une senteur écœurante de marbre, pour toujours associée à la mort et au chagrin par mes narines. Statistiquement, quatre-vingts ans de mémoire olfactive figée m'attendent. Mais non, je me trompe, maintenant, c'est beaucoup plus.

Je suis moi-même de retour ici pour ne plus jamais repartir. J'ai pris racine dans cette terre noire et caillouteuse. Alors j'ai tout le temps devant moi, mes yeux infinis voient par-delà la colline jusque dans l'intimité des replis des champs, dans le creux de l'oreille de la rivière où règne le grand héron. Je vais donc vous raconter qui je suis, qui j'étais, moi, Jules, fils d'agriculteur. Et mon histoire.

Pour rassembler les fils de mon passé qui flottent épars dans le vent comme des filaments porteurs d'araignées translucides, je regarde ce ciel et sa débauche d'étoiles qui me font presque croire qu'il y a un sens à tout ça, comme le disait Pépé le soir, sur le perron de la ferme. Avant qu'il parte et que Papa ne prenne le relais de la ferme. Avec Maman.

Maman.

Vous vous étonnez sans doute qu'un garçon de mon âge n'ait pas commencé son récit en parlant de sa mère, la reléguant derrière Pépé, Mémé et Papa. La mère est pourtant le phare symbolique de l'enfance. Un élément majeur de la sainte trinité. C'est qu'il faut savoir deux choses. Deux choses, aurait dit Mémé, c'est déjà beaucoup de certitudes pour une seule vie. D'abord, je ne suis pas un garçon comme les autres, ou peut-être devrais-je plus justement dire «je n'étais pas». Dit comme ça, je sais, cela semble prétentieux. Mais je vous assure qu'un QI de 140, cela change un peu pas mal la vie. La deuxième chose, c'est que Maman, bien sûr, oui, c'est ma chérie, tout comme Papa est mon héros (vous le voyez, même les enfants doués tombent dans les clichés), mais si j'en ai parlé peu jusqu'alors, c'est que tout le temps dont je me souviens, quand elle vivait à la ferme, et ce, depuis les premiers frémissements de ma conscience dont on m'affirme qu'elle était précoce, c'était comme si elle n'avait pas existé, ou plutôt en sourdine, ombre diaphane de la femme qu'elle redevint par la suite. Je la voyais alors si frêle, presque anecdotique, comme une veilleuse qu'on oublie dans une chambre d'enfant ou, tiens, comme l'une de ces étoiles mineures que je vois dans la nuit, qui sont déjà mortes mais ne le savent pas encore. Car même si, il y a bien longtemps, avant moi, elle avait accepté par amour pour Papa de transvaser au creux de la campagne sa vie tout urbaine, elle était, comme il le lui rappelait en riant (au début), une pure fleur de béton.

Malgré ses efforts, la vie de femme d'agriculteur ne lui convenait pas ; pour elle, la beauté rude des bois n'aurait jamais la poésie des longues avenues fébriles. Mais au moins, du vivant de Mémé et de Pépé, la charge qui ensuite incomba à mon père avait été moins lourde et leur couple, plus léger.

Il y a eu un temps, les étoiles en sont témoins, où la ferme était vivante, avec Pépé, Mémé, Papa et Maman, et moi, leur petit caillou rapporté, le trait d'union de leurs existences. Signe trop fragile pour tenir mes parents ensemble, lui de la campagne verte, elle de la ville grise.

À cette époque, les rosiers du jardin déliraient de fleurs et Mémé m'en faisait sentir les effluves parfaits, surtout le soir, au moment où les corolles s'apprêtent à se refermer sur leur mystère. Il y avait même des fêtes, des amis du voisinage, de la musique. J'étais tout jeune, mais je m'en souviens parfaitement et je m'accroche à ces lambeaux soyeux. Maintenant, j'ai un peu plus de dix ans, « allant sur quarante », comme me disait mon père en m'ébouriffant la tignasse. Je me rappelle un soir, sur les genoux de Mémé, alors qu'elle me brossait les cheveux et frictionnait mon visage à l'eau de Cologne Roger et Gallet (« Ne jamais oublier les ailes du nez ! »), je m'étais cramponné à cet instant de bonheur. Tous ensemble. Maman qui écrivait quelque chose de beau et de joyeux à la longue table de la cuisine, Papa qui fermait l'étable et donnait son picotin au cheval Farceur. Et puis, bien sûr, qui visitait son arbre au pré. Et moi, sur les genoux pointus et pourtant les plus doux au monde de Mémé. « Je suis ici, j'y reste », avais-je crié en silence. Hélas, le temps n'ayant pas l'élasticité qu'aimeraient lui prêter les hommes, vies et bonheur, tout avait été englouti.

Avant, Papa suivait Pépé au pré pour ramener nos vingt vaches. Elles portaient de jolis noms de fleurs ou de jeunes filles tracés à la craie en grosses lettres rondes de maître d'école sur des tableaux fixés au-dessus de leurs stalles. Une fois Papa seul, elles sont devenues des numéros, je crois, en tout cas jamais il ne leur parlait doucement en tête à tête, lui. Trop occupé, trop de champs à surveiller. En revanche, il adorait son arbre, ce chêne immense au tronc torturé large comme une tour qui avait résisté, non sans quelques cicatrices, à des décennies, d'aucuns disaient un siècle, de nos redoutables orages bourguignons. Dans la famille, tout le monde savait que le grand-père de Pépé, ou même son aïeul, l'avait planté à la naissance de son premier fils dans un savant rituel aux relents de sorcellerie blanche. Tout le monde savait aussi que l'arbre, dont la tête vénérable et anarchique dominait les vallons, était porteur, mystérieusement, d'une mission protectrice de notre clan. C'était une chose immense et sans symétrie, dont la cime infinie régnait en maître absolu sur notre domaine. Il m'effrayait un peu, car sans doute en sentais-je instinctivement l'excessive charge symbolique. Trop grande pour la compréhension d'un enfant, aussi éveillé fût-il.

Quand Pépé et Mémé ont été enterrés sous le marbre incandescent du cimetière et que Papa a dû reprendre la ferme à lui tout seul, je m'en souviens, les soirs, il partait à travers le pré de son pas lourd de deuil et du poids neuf qui pesait sur ses épaules. Je le suivais en douce et le voyais qui étreignait le chêne, dont les membres tordus se tendaient en supplique vers le ciel percé de cumulus. Je me cachais derrière des arbres plus mineurs plantés non loin en un bosquet de vassaux au géant, me faisant tout petit afin qu'il ne me vît pas en train de le surprendre à pleurer, collé au tronc, son unique repère. J'aurais voulu être cet arbre, qui, seul, savait lui prodiguer une dose de réconfort.

Ma mère n'aimait pas l'arbre. Peut-être ses membres minces tendus lui rappelaient-ils ceux avides d'une maîtresse, tout comme la tignasse crépue de sa cime feuillue aurait pu évoquer celle de l'amante après l'amour. Je sais, à dix ans, on n'est pas censé imaginer de telles images. Je vous avais bien dit que j'étais différent. Quoi qu'il en fût, Maman haïssait le grand chêne. Au fil du temps, elle l'avait pris en grippe, comme une rivale vaguement maléfique. Jamais reproche à son sujet n'avait franchi ses lèvres, mais ma sensibilité d'enfant savait lire ses silences, sa bouche pincée sur des mots ravalés.

Après la mort de Pépé, puis de Mémé, mes parents ont duré un temps comme ça, en tête à tête douloureux et hostile. Moi, je m'évadais, je battais la campagne avec les enfants des fermes voisines jusqu'à l'heure où le soleil mourant veloutait les blés et plus tard encore, me sachant en sursis. En effet, la menace de l'école pour surdoués qui ne se donnait qu'à la ville pendait au-dessus de ma tête comme une épée de Damoclès. Le médecin du village, un ami de mes parents, m'avait fait passer tôt dans mon existence ces maudits tests qui m'avaient étiqueté pour toujours, moi qui n'aspirais qu'à me gorger de mûres grasses de soleil et à capturer des têtards pour en surveiller la magique métamorphose. Et à partager l'arbre avec Papa, pour connaître les secrets de son écorce liégeuse, pour appréhender tout son microcosme, sentir vibrer les mille formes de vie tapies en lui.

Finalement, c'est cette satanée douance que maman a invoquée pour partir, avec moi sous son bras, laissant Papa avec ses vaches, son cheval, ses blés et son arbre. « On ne doit pas laisser une plante dépérir, il faut, c'est un devoir, lui donner les conditions de croître, lui a dit maman, le regard fuyant. Le bon sauvage, ça a ses limites. De toute façon, toi, tu ne t'intéresses qu'à ta campagne et à ton arbre ! »

Pourquoi Papa est-il resté silencieux tandis qu'elle faisait nos valises ? Aujourd'hui encore, je crois qu'un mot aurait pu la retenir, et tout aurait été différent. Au lieu de quoi, il a tourné son regard triste vers la fenêtre et, au-delà, le pré, semblant chercher le chêne au loin. Je l'ai haï pour ça, tout comme je l'ai haïe, elle, de m'arracher à lui, à mes bois et à ma liberté. Puis surtout je me suis haï, moi, de les haïr ainsi. Et ce sentiment ne m'a plus quitté. À l'heure du départ, j'ai fait mes adieux à la bâtisse austère qui avait nourri mon imaginaire d'enfant, du sous-sol au grenier poussiéreux, aux vaches dans leur pré, et aussi à notre chêne. J'ai posé ma main gauche bien à plat sur son tronc comme le faisait mon père, et sans doute son père et les autres avant lui. Et là, un grand frisson glacial ou au contraire brûlant m'a traversé. Était-ce le fruit de mon imagination ou la marée puissante du vent dans ses branches, mais il m'avait semblé sentir le géant frémir sous mes doigts. Son écorce rugueuse comme celle d'un reptile m'avait paru vivante, mobile, souple comme le jonc, un instant.

— Jules, on part !

Maman m'a hélé de sa voix forte d'une nouvelle vigueur. Contrairement à moi, la perspective d'une autre vie, dans la bousculade de la ville, lui avait rendu sa lumière. J'ai ôté ma main du tronc.

La séparation. J'ai vraiment cru qu'elle ne durerait pas longtemps. Longtemps je l'ai cru, je veux dire. Ce qui est un peu ridicule, quand on y pense, car si on croit longtemps que cela ne va pas durer longtemps, c'est déjà que ça dure longtemps. Vous me suivez ? Peut-être pas. Ma nouvelle copine de cette époque, celle de la ville, Léa, qui pourtant assistait comme moi aux cours de mon école au programme super enrichi, qui avait douze ans et se croyait tellement plus sage que moi, disait que personne n'arrivait à me suivre. Malgré mon spleen (j'aime bien ce terme piqué à Baudelaire), dans les cours, en tout sauf en gym, je la surpassais allègrement, et comme elle était orgueilleuse, elle se vengeait doucement. Malgré tout, je l'aimais bien, et parfois son visage grêlé par le soleil et son rire me manquent. Mis à part ma prof de chimie, Mme Renaud, elle était la seule qui m'écoutait quand j'avais trop le mal de ma forêt, de Papa et de son arbre. Quand le juge a prononcé la garde partagée avec périodes scolaires en ville, pour des raisons évidentes, et que Papa, venu là exprès dans son beau costume gris, a versé une moisson fraîche de larmes, j'ai enfin compris que jamais ne reviendrait l'époque où nous vivions ensemble à la ferme et où, le soir, j'accompagnais Papa pour ramener le troupeau à l'étable, saluant au passage notre arbre comme un vieil ami ou un dieu familier de notre polythéisme.

Après l'école, tandis que Maman rédigeait des textes pour des magazines, en évoquant mes sous-bois chéris dans ma chambre dont la rumeur ne me portait que la rue et sa circulation, je pouvais imaginer le visage de Papa, cette physionomie verticale et sèche comme celle que présentent les rois de France ou les ducs de Bourgogne sur les tableaux des musées. Je le savais très triste, et les vaches négligées appelant dans l'étable. Il me manquait, lui et l'ensemble de notre univers, tandis que, tout raide comme l'asphalte du trottoir, dans mon lit, je sentais monter la douleur dans mes membres en une sève épaisse. En fermant les yeux et en me mentant subtilement, je pouvais presque imaginer sous ma double-fenêtre les champs ondulant à perte de vue dans la nuit, leurs croupes rondes coupées ici et là par la couleuvre sinueuse du sentier dont la tête se perdait dans la forêt, derrière notre chêne.

Cette époque citadine est quasiment un brouillard pour moi, cassé par endroits malgré tout de quelques moments de joie avec Léa. Mais toujours lesté de cet ennui lancinant, que chaque soir je ressentais dans mon corps et qui me faisait si mal que j'avais envisagé de m'en ouvrir à Maman. Mais les obligations de sa nouvelle existence de mère monoparentale au travail plissaient son front, la vie était chère en ville ; elle travaillait tôt et se couchait tard. Alors je me taisais.

Quand ai-je remarqué le changement dans les doigts de ma main gauche ? Difficile de situer dans le temps ce matin où, au terme d'une nuit douloureuse, je constatai en sentant une gêne dans mon mouvement qu'une espèce de minuscule tige dure, presque microscopique, dépassait de la dernière phalange de chacun de mes doigts. De petites pousses ridicules, comme ces germes de soja que Maman s'obstinait à fourrer dans mes sandwiches. Qu'était-ce ? Un frisson paniqué m'a parcouru. Frénétiquement, j'ai voulu ôter de ma main ces excroissances que je croyais frêles. En tirant dessus, je poussai un cri. En les ployant, je ressentais la douleur tout aussi sûrement que si j'avais cherché à me couper le gras du doigt avec mon canif de l'armée suisse. Pas de doute, ces choses qui me poussaient à la main faisaient un avec mon corps. Je tremblai, réalisant que, carrément, elles étaient mon corps ! Sous la peau translucide du dos de ma main, j'ai distingué le réseau sombre de leurs racines courant en parallèle à mes veines bleutées.

— Ça va, Jules ?

Maman, qui avait entendu mon cri, a émergé dans ma chambre, prête pour le travail et charriant une odeur citronnée.

— Oui, je me suis cogné, c'est tout.

— Parfait, je file. Il y a du poulet dans le frigo pour ce soir. Mange sans moi, je vais rentrer tard.

Tandis qu'une bise maternelle rapide au parfum de départ claquait sur ma joue, j'ai dissimulé ma main colonisée par les drôles de tiges derrière mon dos. J'avais confusément senti qu'elle ne devait pas savoir.

Lorsque Maman a disparu, j'ai considéré longuement les excroissances. De vraies petites branches. Elles n'étaient aucunement douloureuses, au contraire, au fil des minutes, je leur trouvais un air de plus en plus familier. Et déjà, je puisais un certain plaisir à les agiter, à gigoter les doigts pour faire vibrer leurs éventails verts. Elles avaient d'ailleurs vite grandi et oscillaient, souples comme des lianes, vigoureuses comme des bûches.

J'ai pu cacher ma métamorphose pendant presque une semaine. Un exploit, quand on y pense. En prévision de l'école et pour Maman, je m'étais fabriqué en fouillant d'une main dans la pharmacie un bandage épais qui saucissonnait mon membre et comprimait désagréablement les tiges, les brindilles.

— Tu t'es blessé ? a demandé Léa le premier matin, sous le porche de l'école.

— Oui, je suis tombé à vélo.

Léa m'a regardé d'un drôle d'air. Mon mensonge était maladroit. Mon amie connaissait pertinemment les limites vite atteintes de mon inclination pour les activités physiques en milieu urbain, à commencer par la bicyclette. Aux champs, les pieds étaient mon seul moteur. Pourtant, elle eut la bonne grâce de ne pas revenir sur la question, m'assistant même dans mes réponses embarrassées au corps professoral et à mes condisciples. Entre-temps, les brindilles s'étaient développées à l'extrémité de ma main, s'ouvrant presque au fil des heures sur de petits bourgeons dont les feuilles au vert tendre se tendaient vers la maigre lumière qui perçait avec effort à travers les fenêtres de notre appartement. La transformation semblait s'accélérer. Tous les matins, je découvrais l'ampleur du changement, et aucune recherche sur Internet ni à la bibliothèque de l'école n'avait pu m'éclairer sur un quelconque mal qui pût s'incarner dans de tels symptômes.

Le troisième jour, une mince couche de matière friable dans laquelle je reconnus de l'écorce a commencé à pétrifier tout mon avant-bras gauche, tandis que mon côté droit restait intègre. C'est drôle, alors que j'aurais dû être terrifié, au contraire, je me sentais mieux, je m'en souviens clairement, moins malade de mon pays, de Papa, de tout le reste. Une énergie nouvelle m'habitait et la douleur avait cessé de tarauder mes nuits.

Puis, un matin en classe de gym, ma transformation fut révélée au grand jour. Maman, qui n'avait pas insisté devant mon refus de lui dévoiler ma plaie et qui ne s'était pas étonnée de me voir porter de hauts cols renforcés par un foulard (on était en janvier, il est vrai), avait refusé nettement ma demande d'un billet de dispense pour la gym.

— Ça te fera du bien, Jules, tu as une petite mine ces temps-ci. Fais juste attention de ne pas heurter ton bobo. Allez, à ce soir, mon chéri !

Le professeur Baroin était un homme à la pensée libérale qui pratiquait le « vivre et laisser vivre ». Pourtant, il s'étonna quand je refusai, buté, de prendre mon tour au cheval-d'arçons. Avisant alors mon épais bandage, il s'effara. Pourquoi étais-je au cours dans un tel état ? Il fallait y veiller, on avait là de toute évidence un mauvais pansement qui requérait une attention immédiate.

— Je veux que tu me montres la plaie, Jules ! C'est mon devoir d'enseignant que de t'aider ! Tu n'y couperas pas, inutile de t'entêter !

Résigné devant le bleu déterminé des yeux du maître d'éducation physique, et sous le regard intrigué de mes camarades de classe, j'ai maladroitement défait le fruste bandage. Quand a émergé des bandelettes mon membre de bois et ses feuilles maintenant déployées, les enfants poussèrent un cri, les pupilles de M. Baroin s'arrondirent. Il eut une exclamation étouffée.

— Dieu du ciel ! Qu'avons-nous là ?

La chose, c'est vrai, était spectaculaire. Ma main complète avait été avalée par la verdure et présentait l'apparence d'une branche de bonne taille et en pleine santé. Je tentai de tourner mon cou pour quêter assistance auprès de Léa, mais l'écorce rigide limitait mon mouvement au niveau de l'épaule.

Tout alla vite ensuite. Maman, rameutée d'urgence au bureau de la directrice, faillit s'évanouir à la vue de cette chose mi-garçon, mi-végétal que j'offrais. Son fils.

Mme Reigner, la bien nommée directrice, a sans succès cherché à se faire rassurante, mais a quand même renvoyé à la maison l'ensemble des élèves de ma classe, y compris Léa, qui, avant de déguerpir, m'a jeté un œil compatissant.

La directrice s'est raclé la gorge.

— Ne vous en faites pas trop, chère madame, c'est sûrement une maladie guérissable, voyez comme Jules a l'air en forme… Faites-le examiner par un spécialiste, puis donnez-nous des nouvelles. Si c'est un handicap, eh bien nous pouvons vous aider à obtenir des fonds spéciaux du gouvernement…

Des fonds spéciaux ! Pourquoi pas un équipement adapté ? Un pot à fleurs et du fumier, peut-être ? Maman m'a pris par la main, la droite, évitant soigneusement de même frôler mon côté sylvestre. La soirée à la maison a été tendue et lugubre, Maman oscillant entre pleurs et reproches :

— Pourquoi ne m'as-tu rien dit ? Mon Dieu, quelle piètre mère je suis ! (Elle avait ce langage fleuri propre à sa profession d'auteur.) Et qu'allons-nous faire ? Je ne vais pas te traîner à l'urgence dans cet état-là !!! Non, j'appellerai Binet, demain première heure, il saura quoi faire, lui ! Et ton père, mon Dieu, je dois prévenir ton père ! C'est sûr, il va dire que tout est ma faute, que l'air de la ville est plein de miasmes ! Je dois lui envoyer un *mail*...

Discrètement, je m'éclipsai, laissant Maman vivre à plein l'intensité de son désarroi. Dans l'intimité de ma chambre, je soupirai, frottant de mon bras droit mon membre-arbre, le flattant presque comme un bon cheval ou un vieil ami. J'appréhendais la suite : je me voyais, bête curieuse, ou plante curieuse plutôt, défilant devant les spécialistes les plus émérites. Examiné sous toutes les coutures comme le pauvre Elephant Man. Pourtant, je n'étais pas malade, je le savais. Je ne voulais qu'une chose, et malgré toutes ses bonnes intentions, Maman ne pourrait pas me la donner. La réponse, c'était moi qui la détenais. Alors je fourrai quelques affaires dans mon sac à dos et, sans bruit, je sortis dans la nuit.

À la gare d'autobus toute proche, je tirai maladroitement de ma poche les sous que Mémé m'avait donnés à son dernier Noël et je sautai dans un car qui allait me ramener chez nous. Il faudrait plusieurs heures à Maman pour découvrir mon départ. Ce serait assez.

Les premières lueurs de l'aube pointaient sur les vignes et les blés endormis quand le chauffeur me laissa sur la grand-route, à un kilomètre de la ferme. Je me traînais un peu, lesté de mon côté de bois, mais je parvins enfin à notre vieille demeure. Le cheval Farceur dut m'entendre de son écurie, car il eut un bref hennissement joyeux. Je jetai un regard à la ferme. Je pouvais presque entendre à travers les murs le léger ronflement de Papa, mais je n'entrai pas. Je longeai l'étable, me délectant de l'odeur rassurante du bétail et du foin, et, d'un pas plus vif, mis le cap sur le pré. Le chêne, notre géant. Il était là, fidèle au poste, comme un phare discret dans la nuit, ses longs branchages tendus vers moi autant que vers le ciel dont le bleu marine se corrompait à présent d'un jour laiteux. Posant mon sac à dos sur l'herbe molle de rosée, je le contemplai. Il m'appelait, mes membres le sentaient. La sève qui surgissait en moi était la sienne. Je fis quelques pas jusqu'à lui et embrassai de mes deux mains le tronc, me fondis en lui, sentant son écorce moussue m'étreindre en une caresse consolatrice, sentant mes bras, les jeunes troncs de mes jambes et ma tête fusionner avec cette masse grouillante de vie, omnipotente de son passé riche.

Telle est mon histoire. Ce soir, alors que comme tous les précédents je contemple les étoiles, je me repais des alexandrins de la brise dans mes feuilles. Demain, je sais que Papa viendra caresser mon tronc, avec plus d'émotion encore qu'avant. Papa, qui a vieilli et qui semble un peu plus seul. Mais moi, je serai là, toujours, prêt à le consoler.

# Remerciements

Merci à mes lecteurs de première ligne, Richard Migneault, Nicole-Anne Cloutier, Pierre Szalowski et Robert Verge.

# Table des matières

# Expression noire

**Pierre Béland**
*Là où la nuit tombe*

**Mario Bolduc**
*Cachemire, Sur les traces de Max O'Brien*
*Tsiganes, Sur les traces de Max O'Brien*
*La Nuit des albinos, Sur les traces de Max O'Brien*
*Le Tsar de Peshawar*

**Laurent Chabin**
*Apportez-moi la tête de Lara Crevier !*
*Quand j'avais cinq ans je l'ai tué !*
*Embrasse ton amour sans lâcher ton couteau*

**Luc Chartrand**
*Code Bezhentzi*

**Hervé Gagnon**
*Jack, Une enquête de Joseph Laflamme*
*Jeremiah, Une enquête de Joseph Laflamme*
*Maria, Une enquête de Joseph Laflamme*
*Benjamin, Une enquête de Joseph Laflamme*
*Joseph, Une enquête de Marcel Arcand*

**Geneviève Lefebvre**
*Je compte les morts*
*La vie comme avec toi*

**Sebastian Rotella**
*Triple frontière*

**David S. Khara**
*Le Projet Bleiberg – 1*
*Le Projet Shiro – 2*
*Le Projet Morgenstern – 3*

**Jacques Savoie**
*Cinq secondes, Une enquête de Jérôme Marceau*
*Une mort honorable, Une enquête de Jérôme Marceau*
*Le Fils emprunté, Une enquête de Jérôme Marceau*
*Un voyou exemplaire, Une enquête de Jérôme Marceau*

**Johanne Seymour**
*Le Cri du cerf, Kate McDougall enquête*
*Le Cercle des pénitents, Kate McDougall enquête*
*Le Défilé des mirages, Kate McDougall enquête*
*Eaux fortes, Kate McDougall enquête*
*Vanités, Kate McDougall enquête*
*Rinzen et l'homme perdu*